LARA
EIRUG WYN

Lleolwyd yng Nghymru'r dyfodol agos.

4

1

Dwy FRAWDDEG oeddan nhw, a fuasai Tecwyn Eleias ddim wedi meddwl ddwywaith am y peth, oni bai iddo sylwi ar ei henw hi. Lara Roberts. Roedd ei henw hi yn *Yr Utgorn Dyddiol*. Hwran wedi'i darganfod wedi boddi yn y dociau yng Nghaerdydd, yn ôl y stori.

Darllenodd Tecwyn y geiriau eto. Yn arafach ac yn fwy gofalus y tro hwn. Un noson y bu yn ei chwmni, a hynny ddwy flynedd yn ôl, ond Lara'n hwran?

Cododd o'i gadair ac yn reddfol aeth i'w gwpwrdd ffeiliau ac estyn ffeil ei thad, Cadwaladr Roberts. Agorodd y ffeil a darllenodd. Chwibanodd yn uchel.

Aethai tair blynedd heibio ers pan ddaethai Cadwaladr Roberts yr holl ffordd o sir Fôn i'r Bala i'w weld.

Ar y pryd, roedd Tecwyn newydd adael y Ffôrs ar gownt un o'r Meibion, ac wedi dechrau busnes fel Ditectif Preifat ym Mhenllyn. Wedi deufis digon tawel, newidiodd pethau y dydd y daeth Cadwaladr Roberts i'w weld.

Mi gnociodd hwnnw ar y drws nes oedd y gwydrau'n ratlo, a cherdded i mewn i'r Offis yn bowld i gyd. Tri chleient, a'r rheini yn rhai digon tlawd, oedd ar lyfrau Tecwyn, neu mi fuasai wedi troi Cadwaladr Roberts heibio am fod mor bowld, ond busnas oedd busnas. . .

Roedd o'n llond unrhyw ystafell o ddyn. Siwt ddrudfawr a chrys a thei lliwgar. Modrwy, breichled aur, wats drom a sgidia sglein. Roedd o'n ogleuo o ddŵr shefio, ac yn ogleuo o bres.

"Cadwaladr Roberts," bloeddiodd wrth estyn ei law.

Doedd dim rhaid iddo fo fod mor awdurdodol. Gwyddai Tecwyn yn iawn pwy oedd o, ac roedd wedi cyfarfod ei deip lawer gwaith o'r blaen.

"Tecwyn Eleias," atebodd, gan dderbyn ac ysgwyd llaw Cadwaladr Roberts.

"Mi wn i pwy wyt ti," meddai hwnnw'n ddiamynedd. "Faint wyt ti'n godi am ddiwrnod o waith?"

"Pum cant a chosta."

Ddaru Tecwyn ddim blincio. Flinciodd Cadwaladr Roberts ddim ychwaith. Dilynodd hwnnw drywydd arall. Aeth i'w boced, ac estyn ffotograff. Gosododd ef yn ofalus ar y ddesg o flaen Tecwyn.

"Faint o amser gymer hi i ti ffendio hon?"

Yn y llun, oedd o'i flaen ar y ddesg, gwelodd Tecwyn eneth tuag ugain oed. Roedd hi'n eneth dlos. Gwallt melyn hir at ei 'sgwyddau a hwnnw'n gyrls mân i gyd. Rhaid ei bod hi'n haf pan dynnwyd y llun. Roedd ganddi wyneb, breichiau a choesau brown a gwisgai ffrog binc, ysgafn. Ond fedrai yr un dilledyn guddio'i chorff lluniaidd.

"Pwy ydi hi?"

"Lara. . . y ferch."

"Ers pryd mae hi ar goll?"

"Wsnos dweutha."

"Ydi'r heddlu'n gwybod?"

Oedodd Cadwaladr Roberts am ennyd cyn ateb.

"Mae hi dros ddeunaw oed."

"Ac ar goll?"

"Rhaid i mi gael gwybod ble mae hi."

Tro Tecwyn oedd oedi'n awr. Ar yr wyneb, dim ond tad yn chwilio am ei ferch oedd Cadwaladr Roberts, ond rhaid bod rhywbeth wedi digwydd rhyngddyn nhw. Aeth Tecwyn ar ôl yr amlwg.

"Ffrae?"

"Ffrae fawr."

Bu saib.

"Mi fedrwn ei ffendio hi fory, mi fedar gymryd mis. . ."

Aeth Cadwaladr Roberts i'w boced a thynnu tri bwndel yn ofalus ohoni. Taflodd nhw'n ddidaro ar y ddesg. Doedd dim rhaid i Tecwyn eu cyfri. Roedd yna fil ymhob bwndel. Edrychodd Cadwaladr Roberts i fyw ei lygaid.

"Wythnos o waith, a dim ecspensys!"

Mi ddywedodd o hynny'n araf a phendant. Roedd o'n ddyn oedd wedi arfer cael ei ffordd ei hun ac roedd hi'n amlwg oddi wrth dôn ei lais mai dyma'i eiriau olaf ar y mater. Yn araf a phwyllog, gafaelodd Tecwyn Eleias yn y pres. Fesul bwndel, gosododd nhw yn nrôr ei ddesg cyn codi'i olygon at lygaid Cadwaladr Roberts.

"Mi ffendia i hi i chi."

A bu cystal â'i air.

Mi gymerodd hi wythnos gron gyfan iddo wneud hynny. Roedd Lara wedi gadael sir Fôn ac wedi mynd i ganlyn un o sêr newydd Teledu Lloeren Cymru. Gŵr o'r enw Rici Rhisiart. Roedd ei gyfarfyddiad cyntaf â Rici yn ddigon i argyhoeddi Tecwyn fod hwn yn ddyn annifyr. Roedd o'n ifanc, yn trendi, yn gyfoethog ac yn chwydlyd o hunan-bwysig. Roedd pres yn tyfu allan o'i glustia fo, ac roedd o'n ben bach.

Yng Ngwesty Saunders yn y brifddinas y daeth Tecwyn wyneb yn wyneb â Rici a Lara. Doedd dim rhaid iddo wneud hynny, ond aeth i'w boced i edrych ar y ffotograff unwaith cyn camu atynt.

"Hai? Lara?"

Llanwodd y llygaid duon ag ofn am ennyd.

"Ia. . . pwy sy'n gofyn?"

"Tecwyn Eleias." Gwenodd cyn ychwanegu, "Ditectif Preifat."

Roedd Tecwyn wedi dysgu fod gwenu cyn dweud y ddau air olaf yn holl bwysig.

"Be wyt ti isho?"

"Dy dad. . ."

Cyn iddo ddweud gair ymhellach, roedd Rici wedi gafael yn ei ysgwydd, ei droi rownd yn reit gas ac yn rhythu i'w wyneb.

Doedd Rici ddim i wybod fod Tecwyn wedi bod trwy felin Hereford. Wedi graddio gyda seren aur fel Beret Du, ac yn medru, gydag un ergyd â'i ddwrn neu ei ben-glin, beri niwed difrifol iddo. Edrychodd i fyw ei lygaid.

"Siarad hefo Lara ydw i."

Dywedodd hynny'n rhy neis, ac roedd min ar ei lais.

"O'ma tosh! Bygra hi o'ma, reit? Ma' Lara hefo fi. . ."

Wrth gofio'n ôl i'w ddyddiau Ysgol Sul erstalwm,

mi fuasai Tecwyn yn taeru wrth edrych ar Rici fod yr Hollalluog ar fin colli'i job. Roedd Tecwyn yntau yn teimlo fel bod yn annifyr.

"Ti'n fy atgoffa i o be s'gin oen bach rhwng ei goesa."

Trywanodd Rici ysgwydd Tecwyn â'i fys.

"O'ma! Reit? Paid â haslo Lara!"

Llefarodd y pedwar gair olaf yn unigol, a gallai Tecwyn weld y casineb yn berwi yn ei lygaid. Lara a'i hachubodd.

"Dad sydd wedi'i yrru o, Rici. . ."

"Lara!" Dechreuodd daeru.

"Dwi'n siŵr y medar Lara siarad drosti'i hun."

Camodd Lara rhwng y ddau ohonynt, a throdd i wynebu Rici.

"Dos, Rici. Mae'n ol reit."

Sibrydodd rywbeth arall yn dawel yn ei glust, ac ymhen ychydig eiliadau, slenciodd Rici wysg ei din yn ôl at y bar.

"Rêl cwdyn fflocs!" meddai Tecwyn, yn fwy wrtho'i hun nag wrth Lara, ond fe glywodd hithau.

"Fo sy'n fy nghadw i."

Eglurodd Tecwyn yn gryno iddi fod ei thad wedi ei gyflogi i ddod o hyd iddi, a'i fod o wedi cael tâl anrhydeddus am hynny. Mi fyddai'n rhaid iddo adrodd yn ôl wrth Cadwaladr Roberts, a dweud wrtho ei fod wedi dod o hyd iddi.

"Oes rhaid i ti ddweud?"

"Y fo ydi'r cwsmer, felly fo sydd yn talu, a phan fydda i'n dechrau job, mi rydw i'n awyddus i'w gorffen hi a chadw'r cleient yn hapus."

Roedd Lara wedi troi'n ara bach nes oedd hi rhwng Tecwyn a Rici. Roedd y ll'gada llo bach yn fflachio. Gwlychodd ei gwefusau ac edrych i fyw llygaid Tecwyn cyn ailadrodd ei chwestiwn.

"Oes rhaid i ti ddweud?"

Roedd meddwl Tecwyn yn rasio'n wyllt. Roedd o'n ddeugain oed hefo gwallt yn britho a bol cwrw. Roedd ganddo greithiau reiats Lerpwl hyd ei wyneb, ei wraig wedi'i adael ers deng mlynedd a doedd o ddim wedi cael tamaid ers wythnosau. Oedd o'n darllen y sefyllfa'n iawn? Oedd o wedi clywed yn iawn? Merch hanner ei oed yn awgrymu rhywbeth cynhyrfus iawn iddo, ac yntau'n ei hateb â distawrwydd?

"Callia'r cwd gwirion," meddai llais bach y tu mewn iddo. Roedd ei feddwl wedi stopio rasio. Roedd o hefyd wedi gweld Rici, y tu hwnt i Lara, yn lluchio ll'gada dagyrs ato.

Gwenodd ar Lara. Ysgrifennodd enw'i westy ar ei gerdyn a'i estyn iddi. Roedd y llygaid yna'n dal i addo. Gwenodd arni wrth ddweud, "Mi fedar gymryd diwrnod da i sgwennu adroddiad i dy dad – dwi'n sgwennwr araf – diwrnod arall i mi fynd 'nôl i'r Bala, a Duw ŵyr pryd y medra i gael amser i deleffacsio'r cyfan iddo fo."

Roedd yna olau yn y llygaid wrth iddi gymryd ei gerdyn a'i wthio i blygion ei mynwes.

Troes Tecwyn i adael. Os oedd hi wedi deall yr hyn oedd yn ei lygaid yntau, byddai'n siŵr o'i ffonio.

'Nôl yn ei westy, aeth i'w stafell gyda photel o wisgi i fyfyrio ac i aros. . .

10

Cleient oedd Cadwaladr Roberts, ac roedd Tecwyn yn gadael i emosiwn ddod rhyngddo a'i waith. Roedd o wastad wedi cyfri'i hun uwchlaw emosiwn, ac yn ddyn blaengar iawn. Roedd Cadwaladr Roberts wedi talu tair mil o bunnau iddo i ffendio'i ferch. Gan ei fod yntau wedi'i ffendio, ei ddyletswydd oedd hysbysu ei gleient o hynny. Pe na byddai'n gwneud hynny, byddai'n fasdad diegwyddor.

Yn y bôn, basdad diegwyddor fuo fo erioed, ac roedd o'n disgwyl ac yn gwybod y buasai Lara yn ffonio. Ac fe wnaeth. Fuodd hi ddim ar y ffôn yn hir iawn ychwaith, dim ond digon hir i ddweud wrtho am fynd i'w chyfarfod mewn ystafell yn y Saunders amser cinio drannoeth.

Cymerodd Tecwyn dri gwydraid arall o wisgi cyn llithro i gysgu. Roedd gan yfory bethau difyr i'w cynnig iddo. Brysied yfory!

Am hanner dydd ar y dot, roedd yn nerbynfa'r Saunders yn gofyn a oedd neges wedi'i gadael iddo. Cafodd amlen gan y porthor ac ynddi ddarn o bapur a'r geiriau "Stafell 302" arno.

Cyn pen ychydig funudau, roedd o'n cnocio'n ysgafn ar y drws, ac wrth i hwnnw agor yn araf, daeth pen melyn a gwên lydan i'r golwg.

Os mai bwriad Lara oedd ceisio'i ddarbwyllo i beidio â dweud dim wrth ei thad drwy wisgo'r ffrog wen, bu ond y dim iddi lwyddo. Gallai Tecwyn weld amlinelliad ei nicyr drwy'r defnydd tenau, a doedd hi ddim yn

11

gwisgo bronglwm. Eisteddodd ar y gwely.

Roedd Lara wedi agor cwpwrdd diod, ac yn tywallt gwydraid o win iddo.

"Gwin coch yn iawn?"

"Yndi 'n tad. . ."

Daeth draw i eistedd wrth ei ymyl. Clun wrth glun. Gallai deimlo cynhesrwydd ei chorff drwy'i ffrog.

"Oes rhaid i ti ddweud wrth Dad?"

"Dyna pam talodd o fi, ac os na ffendia i chdi, efallai mai talu rhywun arall wnaiff o."

"Be fedra i wneud i newid dy feddwl?"

"Dim."

"Dim?"

Croesodd ei choesau nes daeth troedfedd dda o glun noeth i'r golwg. Llyncodd Tecwyn ei boer. Gallai weld yn awr i ble roedd hyn yn arwain, a doedd hi ddim yn fwriad ganddo newid hynny. Cymerodd sip o win cyn ateb yn gloff,

"Mi fedrwn i jyst ddweud Caerdydd. Peidio â manylu. . ."

"Be am ddweud dim?"

"Fedra i ddim. O na, fedrwn i ddim dweud dim. Ethics. . . cydwybod. . ."

Ond does gan stoncar ddim cydwybod, ac fe wyddai Lara hynny'n iawn. Roedd hi wedi bod yn gwylio'r chwydd yn tyfu yn ei drywsus. Roedd hi'n chwarae ag o fel cath fach yn chwarae â phellen o wlân, ac fe wyddai Tecwyn hynny'n iawn. Rhoddodd ei wydraid gwin i lawr ar y bwrdd oedd wrth erchwyn y gwely. Gafaelodd yng ngwydr Lara hefyd a gosod hwnnw yn yr un lle.

Mewn chwinciad roeddan nhw'n caru'n ffyrnig. Roedd hi fel cwffas rhwng dau anifail yng ngyddfau'i gilydd. Rhwygodd y ddau ddillad ei gilydd a'u taflu blith-draphlith hyd y lle cyn arafu am ennyd, edrych i fyw llygaid ei gilydd, gwenu a bwrw iddi drachefn.

Doedd dim byd hardd yn eu caru. Doedd dim tynerwch yn perthyn i'r un ohonynt. Doedd dim yn eu hannog ymlaen heblaw chwant cnawdol, ac ymhen rhai munudau ffrwydrodd hwnnw mewn gwefr o foddhad.

Lapiodd Tecwyn ei freichiau am ei meddalwch a gorweddodd yno am eiliadau meithion, melys. Caeodd ei lygaid a gwthio'i drwyn a'i wefusau i ganol y cyrls melyn. Ymhen ychydig eiliadau, gwyddai Tecwyn ei bod yn wylo. Gwasgodd hi'n dyner.

Dechreuodd adrodd ei stori wrtho. Hen hwrgi oedd ei thad, yn treulio'i amser i gyd bron oddi cartre. Roedd o'n ddyn busnes llwyddiannus a llewyrchus, ac wedi gwneud miliynau o bunnau yn ddiweddar trwy ennill y contract i adeiladu rhannau o'r M470 rhwng de a gogledd Cymru. Roedd ei afael ar ei wraig yn llwyr, ond roedd Lara wedi cicio dros y tresi, ac wedi gadael cartref. Roedd hynny wedi ei frifo i'r byw, ac fe wyddai hithau hynny. O'r herwydd, ei hofn mawr oedd dod wyneb yn wyneb â'i thad neu â rhai o'i ddynion.

"Mae Rici a'i ffrindiau yn gofalu amdana i. Wir yr! Dwi'n gwybod ei fod o'n medru bod yn annifyr, ond dwi'n hapus yma, a does arna i ddim isho mynd 'nôl adre."

"Dwyt ti ddim yn driw iawn iddo fo pan wyt ti'n neidio i'r gwely hefo dyn dwywaith dy oed nad wyt ti erioed wedi'i gyfarfod o'r blaen!"

Doedd Tecwyn ddim wedi bwriadu swnio mor gas â hynny, ac roedd o'n disgwyl ffrwydriad, ond ni ddaeth. Chwarddodd Lara'n ysgafn.

"Nid perthynas fel 'na sydd gen i a Rici, a tydw i ddim yn neidio i'r gwely hefo rhywun rhywun! Mi fydda i'n dewis. . . yn dewis," gwenodd, ". . . fy ffrindia 'gosa yn ofalus, ac i brofi hynny. . ."

Gafaelodd yn dyner am ei wyneb a phlannodd gusan hir ar ei wefusau. Os oedd ei hymarweddiad cynt fel anifail nwydwyllt, roedd hi'n hollol wahanol y tro hwn. Roedd hi'n dyner ac yn annwyl. Roedd hi'n gwybod pryd a ble i gyffwrdd ac anwesu. . .

Bu'r ddau yn caru'n hir i'r prynhawn. Caru'n araf, caru'n wyllt. Caru a chysgu am yn ail. Caru'n braf.

Roedd cysgodion nos yn croesi'r ffenestr pan gododd Tecwyn Eleias i adael yr ystafell. Syllodd unwaith eto ar y wên yng nghanol y modrwyau melyn. Winciodd arni cyn camu drwy'r drws a brysio'n ôl i'w westy'i hun.

Roedd llythyr yn ei boced oddi wrth Lara at ei rhieni. Yn hwnnw, roedd hi'n dweud ei bod yn byw ac yn gweithio yn y brifddinas, ac y byddai'n dod adre i ymweld â nhw yn o fuan.

A dyna'r tro olaf i Tecwyn ei gweld. Rŵan, roedd hi wedi marw. Wedi boddi yn y dociau. Ond Lara'n hwran? Doedd hynny ddim yn swnio'n iawn rywsut.

Edrychodd eto ar y fodfedd o eiriau ar flaen *Yr*

Utgorn Dyddiol. Roedd Lara wedi marw. Wedi boddi, yn ôl y stori. Llyncodd ei boer a daeth lwmp i'w wddf. Yna, ysgydwodd ei ben yn ffyrnig. Wedi'r cwbwl roedd o, Tecwyn Eleias, i fod uwchlaw emosiwn.

2

YCHYDIG O GWSG gafodd o'r noson honno. Doedd
marwolaethau a chyrff ddim yn bethau dieithr iddo.
Roedd o wedi gweld peth wmbradd ohonyn nhw yn
Iwerddon cyn y cadoediad. Roedd o wedi gweld
milwyr a Chenedlaetholwyr ac Unoliaethwyr, yn wŷr,
gwragedd a phlant, wedi'u diberfeddu a'u chwythu'n
gyrbibion, ond rywsut fedrai o ddim dirnad Lara wedi
marw. Roedd o'n ceisio'i dychmygu hi yno, yn gorwedd
yn ei harch. Lara a'r llygaid dyfnion a'i gwallt melyn
yn donnau gwylltion ar y gobennydd glas. Lara fach
a rannodd ei chyfrinachau ag o am un awr beth amser
yn ôl. . .

Dilyn gwraig i brifathro oedd Tecwyn yn ei wneud y
bore hwnnw. Roedd ei gŵr hi'n gobeithio nad oedd
hi'n mocha hefo bwtsiar lleol. Fe gostiodd gant a
hanner i'r prifathro gael cadarnhad o'i amheuon a llun
y ddau yn cofleidio wrth adael gwesty. Ond doedd
calon Tecwyn ddim yn ei waith. Fe allai fod wedi aros
yno'n hirach a'u dilyn oddi yno, ond wnaeth o ddim.
Roedd Lara'n dal ar ei feddwl. Dychwelodd i'w
swyddfa.

Roedd ffeil Cadwaladr Roberts yn agored o'i flaen a
llun Lara'n syllu arno ers peth amser cyn i'r ffôn ganu.
Roedd sŵn galar yn y llais y pen arall i'r ffôn.

"Tecwyn Eleias?"

"Ia. 'N siarad."

"Cadwaladr Roberts." Rhoddodd ochenaid, fel petai'n rhyddhad cael llefaru'i enw. "Fe glywaist ti?"

"Fe ddarllenais i'r hanes yn y papur ddoe."

Roedd Cadwaladr Roberts yn snwffian fel petai o dan annwyd trwm.

"Fedri di ddod yma?"

"Dwi'n reit brysur. . ."

"Fedri di ddod yma?" Bron nad oedd y min ar ei lais yn cyhuddo Tecwyn o ddweud celwydd.

"Pryd?"

"Rŵan. . . heddiw. . . yn syth bin. . ."

"Rŵan?"

"Mi wna i o'n werth chweil i ti."

*　　*　　*

Roedd Tecwyn wedi bod yn sir Fôn lawer tro o'r blaen, ond nes iddo gyrraedd Plas yr Ynys, doedd o erioed wedi dychmygu fod y fath dai i'w canfod yno. Nid yng Ngwalchmai beth bynnag.

Sleifar o dŷ oedd Plas yr Ynys. Roedd wedi ei adeiladu ar gyrion coedwig fechan, ac roedd y coed, yn ogystal â wal gerrig uchel, yn cuddio'r tŷ o'r ffordd fawr. Doedd dim weiren bigog na gwydr na dim byd cyntefig felly ar frig y wal, dim ond tyrau bychain bob rhyw chwe throedfedd a ffyn radar ar frig pob tŵr.

Cyn gynted ag yr arhosodd car Tecwyn wrth y clwydi mawrion, rhuthrodd dau fleiddgi Gwyddelig milain ato, gan goethi a glafoerio eu croeso iddo.

Sylwodd ar y sgrin fechan oedd i'r chwith o'r gatiau. Aeth ati a phwysodd fotwm. Fflachiodd y sganar, a chlodd y camera arno.

Gallai ddychmygu Cadwaladr Roberts yn gwylio pob symudiad. Llefarodd ei enw i'r meicroffon, ac ymhen ysbaid clywodd chwibaniad uchel o'r tu draw i'r wal. Ciliodd y cŵn, ac ar yr un pryd llithrodd y gatiau'n agored. Aeth Tecwyn i'w gar a dreifio drwyddynt.

Tŷ deulawr anghyffredin oedd Plas yr Ynys ac roedd popeth o'i gylch yn cyfleu chwaeth y perchennog. Perllan, cwrt tennis a phwll nofio dan do. Efallai bod Cadwaladr Roberts yn hen gwd, ond roedd o'n hen gwd cyfoethog.

Pan agorwyd drws y tŷ iddo, nid yr un Cadwaladr Roberts a safai o'i flaen ag a ddaethai i'w swyddfa dair blynedd ynghynt. Roedd Tecwyn yn synhwyro mai yn ystod yr ychydig ddyddiau diwethaf y digwyddodd y trawsnewidiad mwyaf. Roedd wedi gwargamu a theneuo, a'i ddillad yn hongian amdano. Roedd fframiau duon i'w lygaid, ei dagell wedi llacio, ei ddwylo'n aflonydd ac roedd crac yn ei lais. Doedd dim amheuaeth, roedd y dyn wedi torri.

"Tyrd drwadd."

Roedd tu mewn y tŷ fel y tu allan. Pob dim yn ei le a lle i bob dim. Amgueddfa o dŷ. Ogla pres ac ogla polish.

"Gymri di ddiod?"

"Rhywbath poeth. . . coffi neu de lemwn. . ."

Arweiniodd Tecwyn heibio dau gloc mawr yn y

cyntedd i'w swyddfa. Fedrai Tecwyn ond dychmygu beth oedd gwerth y celfi a'r hen bethau oedd yn britho'r cyntedd.

Roedd swyddfa Cadwaladr yn stafell enfawr, foethus. Roedd un wal gyfan yn silffoedd llyfrau, a bron pob modfedd o ddwy wal arall yn diferu o luniau a phrintiau. Ffenestr oedd y bedwaredd wal, a gwastadedd Môn a bryniau Arfon yn ei llenwi.

Ger y drws roedd bwrdd snwcer a gerllaw hwnnw cas gwydr anferth a llond ei waelod o ynnau o bob siâp a llun. Reifflts a phistolau hen a diweddar. Yn rhan ucha'r cas, roedd yna gasgliad o fedalau gwahanol ryfeloedd a darnau amrywiol o aur ac arian.

Arweiniodd Tecwyn heibio'r bwrdd snwcer a'r cas gwydr at ei ddesg oedd yn wynebu'r ffenestr. Gerllaw honno roedd soffa ledr.

"Stedda," meddai, gan droi at ei gwpwrdd diod oedd ger y ffenestr. Gwasgodd fotwm yn y cwpwrdd, ac estyn cwpan.

"Siwgr? Llefrith?"

Ysgydwodd Tecwyn ei ben.

"Fel mae o'n dod. Cyhyd â'i fod yn boeth ac yn wlyb. . ."

Wedi estyn ei ddiod i Tecwyn, tywalltodd Cadwaladr Roberts frandi helaeth iddo'i hunan. Aeth i eistedd i'r gadair y tu ôl i'w ddesg.

Am eiliad, roedd gan Tecwyn biti drosto. Roedd hi'n amlwg nad oedd o'n gwybod ble i ddechrau, neu efallai nad oedd o'n gwybod sut i ddechrau, ond eto, cofiodd yr hyn a ddywedasai Lara wrtho am ei thad.

"Glywsoch chi fwy?"

Ysgydwodd ei ben. Bu saib o dawelwch. Roedd Cadwaladr Roberts fel pe bai'n mesur a phwyso pob gair cyn dechrau siarad.

"Yng Nghaerdydd oedd hi pan ddoist ti ar ei thraws hi dair blynedd yn ôl?"

"Ia. Mi gawsoch chi adroddiad gen i. . ."

Chwarddodd Cadwaladr Roberts ryw fath o chwerthiniad bychan, anhyglyw. Bron na chlywai Tecwyn y gwrid yn codi i'w wyneb. Oedd hwn yn gwybod?

"Be oedd hi'n wneud? Oedd hi'n. . . ti'n gwybod?"

Roedd o'n methu ei ddwyn ei hun i ddweud y gair. Cododd Tecwyn fymryn ar ei ben gan esgus peidio â deall. Ailadroddodd Cadwaladr Roberts ei frawddeg yn gyflawn y tro hwn.

"Oedd hi'n. . . hwrio bryd hynny?"

Ysgydwodd Tecwyn ei ben.

"Roedd hi'n byw efo un o sleimbols Teledu Lloeren Cymru. Boi o'r enw Rici Rhisiart. 'Dach chi'n ei nabod o?"

"Nac ydw. . . hynny ydi, mi wn i pwy ydi o. . . ar y bocs felly, ond ddaru mi erioed dorri gair â'r dyn."

"Fuodd yr heddlu yma?"

Nodiodd. "Mi ddaru nhw gadarnhau mai fel hwran roedd hi'n gweithio, ond ar wahân i hynny doedd ganddyn nhw ddim byd newydd i'w ddweud o gwbl. Roedd ei chorff wedi ei ddarganfod gerllaw Doc y Frenhines Alecsandra. Roedd o wedi bod yn y dŵr am rai dyddiau – fedran nhw ddim dweud am faint

20

eto – ond roedden nhw'n meddwl mai wedi disgyn i mewn a boddi oedd hi."

"Oes 'na dîm o dditectifs yn holi?"

Ysgydwodd Cadwaladr ei ben.

"Pan es i draw i'r ysbyty i adnabod y corff, fe ddywedodd un plisman wrtha i eu bod nhw'n meddwl mai damwain achosodd ei marwolaeth."

Roedd yna rywbeth nad oedd yn gwneud synnwyr i Tecwyn. Os mai damwain oedd marwolaeth Lara, pam ar wyneb y ddaear yr oedd Cadwaladr Roberts eisiau ei weld?

"Ddaru Lara gysylltu hefo chi ar ôl i mi ei ffendio hi?"

"Mi fuo'n siarad hefo'i mam. Mi fuodd Elsie i lawr yn ei gweld hi un bwrw Sul. . . jyst cyn iddi farw, fel mae'n digwydd."

"Ddeudodd yr heddlu rywbeth arall am ei marwol-aeth hi?"

"Dim ond dweud eu bod nhw'n cynnal *post mortem* yn syth ac y gallai fod yn rhai dyddiau cyn y byddai'r canlyniadau yn dod i law."

Bu saib arall. Roedd Tecwyn yn teimlo'r holi braidd yn ddibwrpas a digyfeiriad heb wybod beth oedd ym meddwl Cadwaladr Roberts. Mân siarad oedd wedi bod rhyngddyn nhw, a dweud y gwir. Roedd yn rhaid iddo fo wthio i'r dwfn, felly.

"Pam 'dach chi isho 'ngweld i?"

Roedd Cadwaladr Roberts erbyn hyn yn ymladd i oresgyn ei deimladau. Aeth i'w boced ac estyn hances. Cuddiodd ei wyneb ynddi am rai eiliadau, yna rhwbiodd ei lygaid, ei drwyn a'i geg yn galed.

"Mae gen i fis o gyflog i chdi!"

Pwysleisiodd y geiriau fesul un, mewn llais bychan, main.

Moses! Roedd pen Tecwyn Eleias yn troi fel top. Pum can punt wedi'i luosi â deg ar hugain! Ond roedd Cadwaladr Roberts yn ddyn busnes yn ogystal â thad.

"Mi dala i ddeng mil i ti, am fis o waith. . ."

"Plys ecspensys. . ."

Edifarhaodd Tecwyn iddo lefaru'r ddau air, a methodd ei ddwyn ei hun i gyfarfod llygaid Cadwaladr Roberts. Roedd o'n disgwyl ffrwydriad, ond ategodd Cadwaladr Roberts ei eiriau,

"Plys ecspensys."

Aeth yn ei flaen: "Ond mi fyddi di'n gweithio'n ecsgliwsif i mi, dim un ces arall. Dwi isho gwybod pob peth! *Rhaid* i mi gael gwybod pob peth! I bwy oedd hi'n gweithio. . . ble roedd hi'n byw. . . ei symudiadau olaf hi. . . yn enwedig i bwy roedd hi'n gweithio."

"Os bydd y *post mortem* yn dangos unrhyw beth ar wahân i foddi, neu farwolaeth naturiol, mi fydd 'na dîm o dditectifs ar y ces, a fydd hi ddim yn hawdd mynd rownd iddyn nhw. . ."

"Dyna pam dwi'n talu dros yr ods i ti. Does gen i ddim ffydd yn yr heddlu."

"Fedra inna ddim addo dim byd. . ."

"Mi gei di bum mil rŵan, a'r gweddill ymhen y mis, ond mi rydw i'n disgwyl clywed gen ti ar y ffôn neu'r teleffacs unwaith bob rhyw dri diwrnod. Jyst gad i mi wybod sut mae pethau'n mynd a be sy'n newydd. Dallt?"

Nodiodd Tecwyn arno. Aeth yntau i ddrôr yn ei ddesg ac estyn yr arian. Pum mil o bunnau wedi'u lapio mewn bagiau banc plastig ac wedi'u selio. Doedd Tecwyn ddim wedi cael cymaint o bres i'w law ers blynyddoedd.

Cododd Tecwyn ar ei draed, a gwthiodd yr arian i'w bocedi. Tybiodd iddo glywed sŵn traed yn cerdded y llofftydd, ond welodd o neb wrth basio heibio gwaelod y grisiau. Efallai mai Elsie Roberts oedd yno? Yn ôl un o'r lluniau yn y cyntedd, fersiwn hŷn o'i diweddar ferch oedd hi.

*　　*　　*

Ochneidiodd y Prif Arolygydd. Roedd o newydd ddarllen adroddiad y Patholegydd, Dr Monroe, ar farwolaeth Lara Roberts.

Roedd Lara Roberts wedi marw cyn disgyn i'r dociau.

Roedd adeiladwaith mewnol ac allanol ei gwddf wedi'u niweidio, ac roedd asgwrn yr *hyoid* wedi'i dorri. Ym marn y Patholegydd, ni allai hynny fod wedi digwydd ond mewn ymdrech galed gan Lara Roberts i'w harbed ei hun. Roedd hi wedi bod mewn cwffas cyn marw.

Roedd ei chorff wedi bod yn y dŵr am o leiaf ddeuddydd, ac er bod tymheredd oer y dŵr wedi arafu'r pydru a ddigwyddasai i'r corff, roedd y marciau ar wddf Lara Roberts yn arwain y Patholegydd i un casgliad yn unig.

Roedd Lara Roberts wedi'i thagu, ac yna – o fewn dwy neu dair awr i'w marwolaeth – wedi'i thaflu i'r dŵr.

Roedd hi'n ymddangos bod ei chorff wedi suddo ac yna wedi'i dynnu gan gerrynt hyd waelod y doc am ddiwrnod neu ddau gan fod yna olion tywod a gwaddodion yn ei cheg a'i thrwyn, a chrafiadau a sgriffiadau a wnaed gan gerrig neu greigiau i'w hwyneb a'i breichiau.

Pe bai Lara Roberts wedi boddi, byddai'r tywod a'r gwaddodion wedi'u canfod yn ei hysgyfaint hefyd.

Taflodd y Prif Arolygydd yr adroddiad yn ôl ar ei ddesg. Llofruddiaeth arall. Roedd yr un hen rwtîn yn cychwyn eto, felly.

*   *   *

"Hanner awr wedi tri!"

Wrth gymell ei gar drwy'r gatiau llydain, agored, edrychodd Tecwyn ar y cloc digidol o dan y drych. Hanner awr wedi tri. Petai wedi edrych yn fanylach yn y drych, efallai y byddai wedi gweld y cysgod a safai rai llathenni yn ôl o ffenestr y swyddfa.

Safodd Cadwaladr Roberts yno am rai munudau yn gwylio'r gatiau'n araf gau. Estynnodd y gadair ledr, drom at y ffenestr ac eisteddodd yn ddiamynedd ynddi. Roedd ei feddwl ar ras wyllt. Roedd llofrudd-iaeth Lara wedi drysu ei gynlluniau a doedd o ddim yn gallu meddwl yn glir.

Doedd o'n poeni dim am redeg ei fusnes o ddydd i ddydd – roedd o'n talu'n anrhydeddus i ddynion eraill i wneud hynny, ac ni fyddai ei golli o am ddeuddydd neu dri yn gwneud fawr o wahaniaeth. Am yr Almaen, fodd bynnag, dim ond y fo allai ymgymryd â hynny, ond sut ar wyneb y ddaear oedd ffendio'r amser i fynd i Ferlin i dawelu meddyliau Heinrich Lieber a Harry Crass? Honno oedd ei broblem. Doedd picio i Ddulyn i weld Pádraig ym Manc y Weriniaeth yn ddim prob-lem, gallai wneud hynny mewn diwrnod, ond mater arall oedd teithio i Lerpwl neu Fanceinion, hedfan i Ferlin a threfnu i gyfarfod dau mor brysur â Heinrich a Harry. Am a wyddai o, fe allent erbyn heddiw fod yn unrhyw le ar dir mawr Ewrop, ond roedd un peth yn sicr, roedd yn rhaid iddo geisio cysylltu â nhw.

Ond yn ôl at Lara yr âi ei feddwl bob munud.

Os bu'n llwyddiant fel gŵr busnes, yn ddiamau roedd o wedi bod yn fethiant fel tad. A rŵan roedd hi'n rhy hwyr. . .

Cododd y ffôn o'i grud. Doedd wiw iddo wastraffu gormod o'i amser yn ymdrybaeddu ar fethiannau'r gorffennol – heddiw ac yfory oedd yn bwysig. Deialodd rif Heinrich Lieber.

Doedd hwnnw ddim yn ei swyddfa. Gadawodd neges iddo ffonio Plas yr Ynys pan ddychwelai. Doedd Harry Crass ddim yn ei swyddfa yntau, chwaith. Gadawodd yr un neges i hwnnw.

Aeth Cadwaladr i ddrôr ei ddesg, ac estyn ffeil ohoni. Roedd o wedi ei darllen droeon cyn rŵan, ond roedd o wrth ei fodd yn ei darllen. Cynllun busnes oedd yn y ffeil, cynllun busnes fyddai'n gwneud enw Cadwaladr Roberts yn enwog y tu hwnt i ffiniau Cymru, a phan fyddai haneswyr y dyfodol yn sôn am Gymry â gwelediagaeth, byddai ei enw fo, Cadwaladr Roberts, yn perarogli. . .

Gwenodd. Fedrai'r cynllun ddim methu. Y fo, Lieber, Crass a Pádraig oedd y conglfeini, ac roedd gan y pedwar ohonyn nhw'u cymhellion eu hunain. Roedd Harry Crass yn hunanol – chwant am arian oedd holl bwrpas byw iddo fo. Roedd Heinrich Lieber yn Natsi rhonc ac yn dyheu am i'r Almaen ddychwelyd i'r hen drefn a fodolai pan oedd o'n llencyn ifanc yn y pedwardegau. Roedd Pádraig a Cadwaladr yn wahanol. Roedden nhw'n wladgarwyr go iawn, a phwrpas gwleidyddol, uchelgeisiol y tu ôl i'w cynllun. . .

*   *   *

Wrth ddreifio'n ôl tua'r tir mawr, roedd gan Tecwyn Eleias gynllun yn dechrau ffurfio yn ei ben. Gallai fynd ati i holi mewn dwy ffordd. Gallai fynd yn ôl dair blynedd drwy gychwyn gyda Rici Rhisiart a'i gael o i ddatgelu am ba hyd y bu Lara yn ei gwmni, a gweithio ymlaen o fan'no, neu fynd lawr i'r brifddinas a cheisio cael gafael ar newyddiadurwr neu un o'r ditectifs oedd ar y ces yng Nghaerdydd, a gweithio'n ôl.

Roedd yn haws dechrau gyda Rici. Roedd o yn y Bala ers rhai dyddiau er mwyn bod yn bresennol yn agoriad stiwdio newydd Teledu Lloeren Cymru. Wedi croesi'r bont i Arfon, trodd Tecwyn drwyn y car am Fetws-y-coed. Roedd pum mil yn llosgi yn ei boced ac roedd garej Heilyn, ffrind iddo, ar y ffordd adre. . .

Bu yno am awr dda. Mi fuasai wedi aros dwy awr arall gan fod ei ddiddordeb ef a Heilyn mewn ceir yn un ysol, ond er mwyn iddo allu cyrraedd y Bala erbyn wyth, bu'n rhaid torri'r sgwrs, a'r haglo, yn ei blas.

Wedi ffansïo un o'r Costin Amigos newydd oedd Tecwyn ac yn meddwl efallai y buasai'r pris a gâi am ei Bathew, ac ychwanegu pres Cadwaladr Roberts ato, yn o agos ati. Nid felly y gwelai Heilyn bethau, fodd bynnag.

"Ti angan pump arall, was!"

"Arglwydd! Ti'n deud? Dwy oed ydi'r Pathew! Ugain mil ar ei gloc o. . . taco. . . trip compiwtar. . ."

"Mae 'na wahaniaeth dybryd rhwng y ddau, 'sti!"

Wrth adael y garej, cysurodd Tecwyn ei hun y gallai ddal i freuddwydio neu, yn wir, efallai y câi fis arall o waith gan Cadwaladr Roberts! Doedd o ddim wedi mynd hanner milltir o'r garej cyn iddo weld llipryn main tenau yn bodio ar ochr y ffordd. Gan ei fod yn teimlo'n hael ac yn unig, cystal iddo gael cwmni ar y ffordd ddim.

Myfyriwr ar ei ffordd adre o Fangor i Lundain oedd y llanc. Eglurodd Tecwyn nad oedd yn mynd ymhell iawn i lawr yr A5 cyn troi oddi arni, ond roedd pob milltir i lawr honno'n filltir yn nes adre i'r llanc.

'Nôl yn y Bala, Rici oedd ar feddwl Tecwyn. Wedi llowcio pryd ysgafn o fwyd, aeth i ganlyn y tyrfaoedd ac i weld ei sioe. Os oedd o'n ben bach dair blynedd yn ôl, roedd o'n saith gwaeth erbyn hyn! Welodd Tecwyn neb erioed yn ffysio cymaint.

Roedd wedi'i wisgo fel cadi ffan mewn siwt binc a chrys lliw hufen ac roedd dwy neu dair o ferched ifainc yn hofran o'i amgylch drwy gydol ei berfformiad. Roedd y perfformiad hwnnw'n un slic.

"*Make-up!*"

Cyfarthai'r gair cyn gynted ag y diffoddai'r camerâu, a rhuthrai llancesi ato o bob cyfeiriad gan sychu'r diferion chwys oddi ar ei dalcen a'i wyneb, cuddio'r rheini wedyn â chymylau o bowdwr, a chribo pob blewyn afradlon oedd ar ei ben yn ôl i'w briod le.

Arhosodd Tecwyn gyda'r gynulleidfa tan ryw ddeng munud cyn diwedd y sioe. Yr adeg honno cododd o'i gadair ac aeth allan tua chefn y stiwdio. Roedd awyrgylch carnifal yn y cefn. Y porthorion a'r staff yn amlwg ar gychwyn dathliad oedd i barhau drwy'r nos. Wedi gair neu ddau cyfeillgar a fflachio'i fathodyn Ditectif Preifat dan drwyn un ohonynt, cafodd Tecwyn ei hun yn cerdded coridor yr ystafelloedd newid. Fedrai'r un meidrolyn fod wedi osgoi ystafell Rici. Roedd ei enw wedi ei sgrifennu mewn llythrennau breision ar ei ddrws. Cnociodd Tecwyn, a phan na ddaeth ateb, edrychodd i fyny ac i lawr y coridor un waith a phan welodd ei fod yn glir, agorodd y drws a chamu i'r ystafell.

Roedd yr ystafell yn flêr gyda dillad a phapurach wedi'u gwasgaru i bob man. Aeth Tecwyn yn syth at y ces lledr du agored. Cafodd amser yn unig i weld y toriad o'r *Utgorn Dyddiol* ac i sylwi fod rhif ffôn Lara yn y llyfr cyfeiriadau cyn iddo glywed yr ebychiad o'r drws.

"*Who the hell are you?*"

"Dwyt ti erioed yn dweud dy fod ti'n gwneud cymaint o bres ar gorn yr iaith fel dy fod ti'n rhy swil i'w siarad hi?"

"Pwy wyt ti, a beth wyt ti'n ei wneud yn busnesu yn fy stafell i?"

Yna cofiodd, ac am eiliad doedd o ddim yn siŵr iawn sut i ymateb. Gwylltio ddaru o.

"Y blydi ditectif . . . !"

"Pryd welaist ti Lara ddweutha?"

"Dos o'ma'r mochyn!"

Trodd yn ei ôl a dechrau symud at y drws, ond roedd Tecwyn yno o'i flaen. Gafaelodd yn gadarn yn ysgwydd y got binc.

"Pryd welaist ti Lara ddweutha?"

Doedd Tecwyn ddim wedi disgwyl y glec, ac fe'i lloriodd am rai eiliadau. Disgynnodd dwrn Rici yn solet ar flaen ei drwyn gan dynnu dagrau i'w lygaid. Cyn iddo ddadebru, roedd Rici wedi rhedeg allan i'r coridor yn gweiddi nerth esgyrn ei ben,

"Ger! . . . Ali! . . ."

Roedd gan Tecwyn frith gof o weld dau labwst yn dod i'r ystafell a'r gwaed yn diferu'n gynnes o'i drwyn ar ei frest. Y tu ôl i'r ddau roedd Rici'n gwenu. Yna ysgyrnygodd cyn dweud,

"Paid ti byth â medlo hefo'r Meibion!"

Yna, dechreuodd lawio dyrnau a sgidiau o bob

cyfeiriad. Roedd yr ymosodiad yn ddidrugaredd. Gwyddai Tecwyn iddo daro un ohonynt yn galed ym mhwll ei stumog, a chredai iddo glywed asgwrn penglin y llall yn crenshian, ond cyn pen dim aeth yn nos ddu arno. . .

*   *   *

Roedd yr ystafell yn llawn lleisiau a mwg. Bron nad oedd yna awyrgylch parti i'w deimlo wrth i'r dwsin oedd yn bresennol weiddi a herio'i gilydd ar dop eu lleisiau.

Pan gerddodd y Prif Arolygydd Howard i'r ystafell, distawodd pob sŵn ar amrant, ac estynnodd pob un am ei lyfr nodiadau a'i bensel.

Aeth Howard yn syth at y wal hir a ddaliai'r ffotograffau, a'r penawdau breision a ysgrifennwyd ar y bwrdd gwyn. Estynnodd ffon fechan a dechreuodd ar ei lith. Pwyntiodd at lun du a gwyn.

"Lara Roberts," meddai.

"Cyfeiriad, 21 Esther Road, Canton, Caerdydd. Hyd y gwyddom ni, roedd hi'n gweithio fel hwran, ond nid hwran gyffredin. Mae'n debyg ei bod yn gweithio i sawl asiantaeth fel escort.

"Dyddiad marwolaeth. Dydd Gwener, Medi 7fed, rhwng pedwar y prynhawn ac un ar ddeg o'r gloch yr hwyr.

"Achos marwolaeth – wedi'i thagu. Yr unig arwyddion o drais ydi cleisiau y tu mewn a thu allan i'r gwddf. Un asgwrn wedi'i dorri, ond dydi hynny ddim o anghenraid yn dweud mai rhywun cryf oedd y llofrudd. Fe allem ni fod yn chwilio am ddynes neu ddyn.

"Mae'n debyg ei bod wedi ei chludo o'r lle llofrudd-iwyd hi a'i thaflu i'r doc. Fel y gwyddoch chi, tydi Doc y Frenhines Alexandra ddim yn agos i unman y byddid yn disgwyl gweld Lara Roberts.

"Man cychwyn yr ymholiad – dau ohonach chi i fynd rownd yr asiantaethau. Dau arall i fynd rownd y gwestai moethus – Angel, Post House, Saunders. . . edrych trwy'r rejisters, holi'r staff a welson nhw hi ar y 7fed. Un i fynd i Esther Road i chwilio drwy'i fflat hi a holi ffrindiau. Chwilio am lyfrau cyfeiriadau neu unrhyw beth arall allai fod o gymorth. Dwi isho i'r gweddill ohonach chi i fod allan ar y strydoedd ac yn y bariau hwrio. Holi a stilio am unrhyw gliw, waeth pa mor fach. Pob sgrap o wybodaeth, dowch â fo'n ôl. Mi fydd y brîff nesa ymhen union chwe awr."

"Sarjant?"

Neidiodd hwnnw ar ei draed.

"Ia, syr?"

"Rhannwch chi'r gwaith. . ."

A'r un mor gyflym a dramatig ag y daeth i mewn iddi, aeth Howard o'r ystafell.

*   *   *

Roedd Rici'n ddyn pryderus. Roedd y sigarét rhwng y deufys crynedig yn ysgwyd i gyd, a'i glust yn sownd yn nerbynnydd y ffôn yn aros am atebiad y pen arall.

"Y fi sydd yma! Rici. . ."

Ar amrantiad, gwyddai Rici iddo wneud cam-gymeriad. Roedd y llais y pen arall yn wyllt gacwn.

"Pwy? Pwy sydd yna? A be ar wyneb y ddaear sydd ar dy ben di yn ffonio yma o bob man?!"

"Ond mae 'na rywbeth wedi digwydd. . ."

"Be?"

"Plisman, naci, ditectif wedi bod yma. . . yn holi am Lara. . ."

Roedd y llais y pen arall yn glir ac yn galed.

"Does gen i ddim syniad pwy sydd yna, na beth wyt ti eisiau. Rhif personol ydi hwn. Os oes yna fusnes i'w drafod, mae posib cael gafael arna i drwy'r dull arferol."

Pwysleisiodd y llais y ddau air "dull arferol", a chlywodd Rici'r glec wrth i'r derbynnydd ddisgyn yn ôl i'w grud. Yna distawrwydd. Gallai Rici ei gicio'i hun. Roedd o wedi gwneud camgymeriad. Cam-gymeriad mawr, ac fe allai fod pris uchel i'w dalu am ei ffolineb. Tynnodd yn galed ar ei sigarét a chwythu'r mwg i'r awyr uwch ei ben.

"Shit! Shit! Shit!"

* * *

Mae pum can milltir o'r Bala i Berlin, ond roedd yr un geiriau lliwgar yn tasgu o enau Heinrich Lieber wrth iddo yntau siarad ar y ffôn â Harry Crass.

Roedd Lieber yn gasgen o ddyn, yn tynnu am ei ddeg a thrigain, ond er ei fod yn anferthol o gorffolaeth doedd dim owns o ddiogi yn agos i'w ddeunaw stôn a hanner. Roedd cudynnau arian glân yn hongian dros ei glustiau o bobtu'i ben moel, ac o dan y sbectol ffrâm ddu, drwchus roedd sigâr anferth yn un cornel o'i geg, a'r geiriau'n bytheirio drwy'r gornel arall.

"Does yna ddim lle i boeni o gwbl, Harry. . ."

"Pam ei fod o'n gadael neges i mi i'w ffonio fo, Heinrich? Ydi'r polîs ar ein holau?"

"Harry! Rwyt ti'n poeni gormod. . ."

"Dydach chi ddim yn meddwl fod yna le i boeni?"

"Mae Roberts yn ddigon solat. Yn gynta peth, mae o'n ddyn busnes. Eilbeth ydi popeth arall iddo fo. Dyna pam ei fod o mor llwyddiannus. Sut fedar y polîs na neb arall fod ar ein holau ni? Dydan ni ddim wedi gwneud dim byd mwy na chynllunio i wneud ceiniog neu ddwy ar gefn uno dau gwmni rhyngwladol. . ."

"Ydi o wedi cysylltu â chi'n ddiweddar?"

"Dim ers i ni gyfarfod yng Nghaerdydd. . . a tydw i ddim wedi ymateb i'w alwad o eto. Newydd ddod yn ôl i'r offis oeddwn i pan ffoniest ti."

"Pam ei fod o'n ffonio a ninnau wedi dweud nad oeddwn i i ddod i'r darlun o gwbl tan wythnos cyn y fflotêshyn? Os nad ydi hyn yn mynd i weithio. . ."

"Harry! Arafa! 'Dan ni wedi bod dros hyn ddegau o weithiau o'r blaen. Mae popeth wedi'i weithio allan yn berffaith. Mi fydd y pedwar ohonon ni led braich oddi wrth bob trafodaeth. Mi fydd yr arian i gyd yn mynd drwy Ddulyn a'r Swistir. . ."

"Methu deall Roberts ydw i. . ."

"Mae'r dyn wedi colli'i ferch! Sut wyt ti'n disgwyl

iddo ymateb? Mae ganddo lawer o bethau ar ei feddwl y dyddiau yma."

Doedd Heinrich Lieber ddim yn deall poen Harry Crass. Roedd y dyn yn ŵr busnes ers blynyddoedd maith. Roedd o wedi handlo arian mawr o'r blaen, ac eto roedd yna elfen o banig yn ei weithredoedd a'i sgwrsio ynglŷn â'r ddêl yma. Roedd hi'n biti mewn gwirionedd fod angen Crass o gwbl arno fo a Cadwaladr Roberts, ond roedd gan Crass y clowt ariannol nad oedd ganddyn nhw. Efallai mai'r peth gorau i Harry oedd peidio siarad â Cadwaladr Roberts.

"Harry! Gad bopeth i mi. Mi ffonia i Cadwaladr Roberts. Mi ddyweda i fod y ddau ohonon ni wedi cael sgwrs, ac os oes ganddo fo rywbeth pwysig i'w ddweud, mi ddo i'n ôl atat ti. Iawn?"

*　　*　　*

Roedd Cadwaladr Roberts wedi treulio'r rhan fwyaf o'r deuddydd ers marwolaeth Lara yn eistedd wrth y ffenestr yn ei stydi. Roedd o'n gwybod fod ffordd anodd i'w throedio yn ystod y mis neu ddau nesaf, ac nid oedd yn fodlon gweld neb na dim yn dod rhyngddo a llwyddo.

Bu'r pum mlynedd diwethaf yn rhai caredig iawn iddo ef a'i gwmni. Roedd wedi ennill sawl cytundeb anferthol i wella'r ffordd rhwng gogledd a de Cymru ac yn ogystal â bod yn ŵr cyfoethog, roedd hefyd yn berchen ar gwmni cryf a dylanwadol. Wedi'r cyfan, roedd Roberts (Tramwy) Cyf. yn cyflogi deugant yn llawn amser, ac ar brydiau byddai hyd at fil o grefftwyr a labrwyr yn gweithio'n rhan amser iddo, ond roedd gan Cadwaladr Roberts freuddwyd fawr, ac nid hunanoldeb yn unig oedd y tu ôl i'r freuddwyd honno.

Roedd o eisiau gadael rhywbeth ar ei ôl. Nid chwarae o gwmpas hefo 'chydig o dai a busnesau, ond creu argraff ddofn ar Gymru ac ar y Gymraeg. Yn gyntaf, fodd bynnag, roedd yn rhaid iddo gael sylfaen grym. Roedd yn rhaid cael sail gadarn o gyllid, a miliynau o bunnau y tu cefn iddo, a'r unig ffordd i wneud hynny oedd sicrhau llwyddiant Roberts (Tramwy) Cyf. Roedd o wedi taro ar yr union gynllun hwnnw chwe mis ynghynt.

Daeth cnoc ar y drws ac ymddangosodd pen ei wraig.

"Mae'n hanner awr wedi tri," atgoffodd ef. "Os nad ei di yn o fuan, peryg y colli di'r fferi."

"Diolch."

Hanner cyfarthiad oedd ei atebiad, a chan anwybyddu'i wraig aeth at ei ddesg i estyn y gwahanol bapurau oedd eu hangen arno i fynd i Ddulyn.

Clywodd y drws yn cau, ond ni chododd ei lygaid.

Yr ochr arall i'r drws, yn y cyntedd, caeodd Elsie Roberts ei llygaid yn dynn cyn gollwng bwlyn y drws. Gwasgodd ei dannedd at ei gilydd a rhoddodd ochenaid. Roedd Cadwaladr wedi newid llawer yn ystod y chwarter canrif y buasai'n briod ag ef. Cychwynnodd yn ei hôl tua'r gegin, ond oedodd am ennyd ger y drych a syllodd arni'i hun.

Doedd hi ddim yn edrych yn ddrwg ac ystyried ei bod yn tynnu tuag at ei hanner cant. Roedd y mymryn lliw a roddai i'w gwallt yn ei gadw'n dywyll, ar wahân i'r ychydig flewiach brith a adewai'n fwriadol ar ei harleisiau. Roedd croen ei hwyneb yn dal yn llyfn, ei llygaid yn dal yn loyw a'i chorff wedi cadw'i siâp yn rhyfeddol, ond dynes ddigalon ac anhapus oedd Elsie. A bu marw Lara yn ergyd bellach iddi.

Roedd bywyd y teulu yn troi'n gyfan gwbl o amgylch Cadwaladr. Cadwaladr a'i fusnes, Cadwaladr a'i gyfeillion, Cadwaladr a'i gyfarfodydd a'i bwyllgorau. Doedd dim ots pwy oedd y cyfeillion na ble roedd y cyfarfodydd – roedden nhw'n cael blaenoriaeth, ac yn ddiweddar roedd y cysylltiadau busnes hynny wedi ehangu i'r Almaen ac i Iwerddon.

Yng nghanol hyn oll roedd hi, Elsie, yn gaethwas, yn ysgrifenyddes, yn cadw tŷ, yn golchi, yn cymryd negeseuon, yn pacio cesys ac yn smwddio crysau. Ambell dro, ychydig iawn o rybudd a gâi – fel bore heddiw. . .

"Elsie!"
Methodd ei ateb cyn i'r ail floedd ei chyrraedd.
"Elsie!!"
"Ia?"
"Dwi'n mynd i Iwerddon hefo'r gwch dri pnawn 'ma. Wnei di baratoi ces dwy noson i mi jyst rhag ofn?"
Ac fel ci bach ufudd, taflodd ei "Iawn!" i'w gyfeiriad cyn mynd i lofft ei gŵr i estyn ei ddillad. Oedd, roedd gan Cadwaladr Roberts ei lofft ei hun. Doedd o ddim wedi rhannu llofft – heb sôn am rannu gwely – â'i wraig ers blynyddoedd, a rhywsut daeth y dieithrwch

36

a'r pellter yn ffordd o fyw naturiol iddyn nhw ill dau.

Ond os oedd Elsie yn gaeth ac yn unig o fewn ei phriodas, nid felly roedd hi yn ei meddwl. Fedrai hi ddim aros i weld car Cadwaladr yn diflannu drwy'r gatiau pan âi ar daith bell, neu am noson oddi cartref. Ar yr adegau hynny, roedd yna sbonc yng ngherddediad Elsie. Arhosai ryw chwarter awr wedi cau'r clwydi, yna, a gwên ar ei hwyneb, esgynnai'r grisiau yn araf a phwyllog, fesul un. Camai i'w hystafell wely, ac wedi cloi'r drws o'i hôl, tynnai ei dillad ac âi i orwedd ar ei gwely. Caeai'r llygaid duon ac ymlaciai'n llwyr wrth i'w dychymyg a'i dwylo fynd yn rhemp. . .

A rŵan, roedd Cadwaladr ar fin cychwyn i Iwerddon am ddeuddydd, efallai tri. Edrychodd ar ei llun yn y drych, a gwenodd. Y munud y byddai Cadwaladr wedi gadael, gallai ffonio Dr Baker, a gwneud trefniadau iddo fo ddod i'w gweld. Gallai ddweud pethau wrth Dr Baker na allai eu dweud wrth yr un person byw arall. . .

Aeth at y cwpwrdd pren oedd ger ei gwely. Agorodd ei ddrws ac edrych ar y silff uchaf. Roedd o'n dal yno. Edrychodd yn hir ar y bocs brown oedd wedi'i selio'n dynn â thâp gloyw ac aeth ias drwyddi. Yn hwnna roedd rhywbeth a berthynai i Lara. . .

* * *

"Eleias!"

Roedd Tecwyn yn adnabod y llais, ond heb ei glywed ers rhai blynyddoedd.

"Eleias!"

Cliriodd ei ben. Shit! Cooper oedd o. A bod yn fanwl gywir, erbyn hyn roedd o'n un o uchel swyddogion y Polîs Ffederal.

Ateb digon gwanllyd gafodd yn ôl.

"S'mai?"

"Ti'n y cach go iawn rŵan, mêt!"

"Pwy? Y fi?"

Ceisiodd Tecwyn godi. Yna cofiodd yn sydyn. Teledu. . . Rici. . . dyrnau.

"Lle mae o?"

"Lle mae pwy?"

"Y blydi ffilm-star uffar 'na!"

"Wedi mynd, ond mae Teledu Lloeren Cymru yn dod ag achos yn dy erbyn di. Torri i mewn i adeilad preifat, ac ymosod ar un o'r staff."

"Un?! Be am y ddau arall?"

"Dim ond Rici oedd yno. . ."

"Wyt ti'n meddwl y basa'r cadi ffan yna yn gwneud hyn i mi?"

"Ti allan o drêning. . ."

"Fasa'r pwffda yna ddim yn gwneud y fath lanast arna i, ac mi wyddost titha hynny'n iawn."

Fe wyddai Cooper hynny'n iawn, ond doedd o ddim eisiau gwybod mewn gwirionedd. O leia roedd o'n cymryd arno nad oedd o eisiau gwybod.

Bu'n rhaid i Tecwyn ymddangos gerbron y Siryf a thalu mil o bunnau o siwriti i ymddangos o'i flaen eto ymhen yr wythnos i ateb ei gyhuddwyr. Roedd hefyd dan amod bellach i beidio â mynd yn agos at Rici.

Pan gafodd ei ollwng yn rhydd, aeth ar ei union i'w fflat yn y Stryd Fawr. Tywalltodd hanner gwydraid mawr o wisgi iddo'i hun. Wrth ei sipian yn araf, a'i glywed yn taro pwll ei stumog, fe ddaeth yna flinder a chwsg esmwyth heibio iddo.

3

Cysgodd Tecwyn am wyth awr. Uwchben ei banad oedd o pan glywodd o'r seiren gyntaf. Mewn cachiad nico, roedd tre'r Bala yn ferw gwyllt. Llanwyd y Stryd Fawr â bysys, lorïau a cherbydau'r polîs a'r fyddin. Sgrechiai hwteri a seirennau, ac ar y funud, bob munud, roedd llais ar uchelseinyddion yn rhybuddio pawb i adael eu cartrefi, a neidio ar un o'r lorïau neu'r bysys. Roedd y Bala'n gwagio'n gyflym. Roedd yntau yn y ffenestr yn gwylio'r berw pan welodd Cooper yn neidio o'i gerbyd, yn pwyntio at ei fflat, ac yn cyfarwyddo ei ddynion i fynd yno. Mewn cachiad roedd llond y fflat o Ferets Duon, a Cooper yn sefyll yn y drws.

"Y basdad!"

Deallodd Tecwyn hynny o eiriau cyn i ddynion Cooper ei lusgo ato. Safodd o'i flaen, a phwysodd fotwm ei ddictaffon.

"Stryd Fawr, Bala, *September 13th, fifteen twenty hours, Chief Federal Officer Cooper, arresting Tecwyn Eleias under Section 22, North West Terrorism Act.* Ewch â fo i'r steshon. . ."

"Be sydd arnat ti'r lob?"

Nid at Cooper y cyfeiriodd Tecwyn ei eiriau, ond at ryw gyw plisman oedd yn blorod i gyd. Roedd wedi gafael ym mraich Tecwyn ac yn ei throi'n greulon y tu ôl i'w gefn. Tynhau ei afael ddaru o pan glywodd y cwestiwn, a rhoddodd ddyrnod i Tecwyn yn ei asennau â'i law rydd. Aeth Tecwyn yn llipa, a phan deimlodd ei afael yn llacio, mi gafodd awydd dial. Hen dric ddysgodd Cooper iddo oedd o, a gobeithiai fod y basdad hwnnw'n gwylio. Mi roedd, ac fe weithiodd y tric.

Gwyrodd Tecwyn yn ei ôl, a chyda sgrech annaearol, gwnaeth din-dros-ben perffaith a'i ryddhau ei hun yn y broses. Wrth iddo belennu, daliodd ei sawdl y plisman plorod dan ei ên. Glaniodd yn daclus ar ei draed, ond chafodd o fawr o gyfle i wneud mwy na hynny. Disgynnodd y Berets Duon yn un haid arno. Doedd dim ots ganddo. Mi fyddai'r plorod, a'r lleill, yn fwy gofalus y tro nesa.

Cooper rwystrodd drychineb. Un cyfarthiad, a dechreuodd y tunelli cnawdol ddiosg oddi amdano. Safodd Cooper o'i flaen, a gwenu'n wirion fel hogyn bach drwg.

"Mae'n dda gweld dy fod ti'n cofio rhai petha."

"Mae HWNNA mewn trwbwl!"

Roedd y plorod yn dal i gysgu'n braf.

"Ymosod am yr ail dro mewn pedair awr ar hugain!"

"Fo ymosododd arna i!"

"Dy restio di oedd o. . ."

"Ymosod wnaeth o, ymosod ar garcharor oedd wedi ei restio – mi fydd dy ddictaffon di'n dangos hynny."

Gwenu ddaru Cooper. Cafodd Tecwyn ei fartsio'n ddiseremoni yn ôl i'r steshon. Yno, cafodd hanner awr i ddod ato'i hun.

Yn ystod yr hanner awr yna, roedd ei feddwl yn rasio fel y gwynt. Be uffar oedd wedi digwydd? Pam fod Cooper wedi ei arestio? Fasa fo ddim mor dwp â thrio blyffio. Roedd o'n adnabod Tecwyn, a Tecwyn yn ei adnabod yntau yn ddigon da. Rhaid fod rhywbeth mawr wedi digwydd i efaciwetio tref o faintioli'r Bala, ond beth? A pham ar wyneb daear yr oedd o'n cael ei amau? Mi ddaeth yr atebion toc.

"*Federal Chief Officer Cooper conducting video interview in Welsh with prisoner Eleias, in presence of officers Thomas and Caldwell. Tape commencing 16.37 p.m. 13th September.* Reit, lle roeddat ti ddoe?"

"Pam?"

Gwyddai Tecwyn y byddai hynny'n ei wylltio.

"Atab y blydi cwestiynau! Lle roeddat ti ddoe?"

"Rydw i wedi cael fy restio, a does neb wedi egluro i mi pam, na beth yw'r dystiolaeth sydd yn fy erbyn."

"Yn ôl *provisions* y *North West Act,* does dim rhaid imi ddeud ffac ôl wrthat ti."

". . . *before commencing a video interview, an officer of the Federal Police must explain the circumstances of and reason for the arrest in detail.* . . Paragraff cyntaf *Section 22.* Deddf gwlad, Cooper!"

Mi fylliodd.

"Gwranda'r basdad bach, yn fama FI ydi'r ddeddf, dallt?"

Mewn ateb i hynna, trodd Tecwyn ei wyneb i'r camera fideo, a dal ei ddwy law uwch ei ben mewn ystum o ildio. Bu hynny'n ddigon. Nodiodd Cooper ar Blackwell i ddiffodd y tâp. Ymdawelodd.

"Lle roeddat ti ddoe?"

Fel petai o'n rhag-weld atebiad Tecwyn, aeth yn ei flaen.

"Sgwrs ydi hon, reit? Dim ymholiad swyddogol."

Rŵan roedd petha'n edrych yn llawer gwell. Roedd hi'n amlwg mai tenau a gwan oedd ei dystiolaeth, felly doedd dim pwrpas bod yn annifyr.

"Bala yn y bore, yna i Ddolgellau, o fanno i sir Fôn. 'Nôl i'r Bala, i stiwdios newydd Lloeren, i swyddfa'r heddlu, ac adre."

"Fuost ti yn Nhryweryn?"

"Tryweryn?"

"Tryweryn!"

"Naddo."

Gwyddai Tecwyn yn syth oddi wrth ei ymateb nad oedd yn ei gredu.

"Pa ffordd ddoist ti adre o sir Fôn?"

"Trwy Fangor; mi ges ginio ar y ffordd, toc wedi pedwar, oddi yno mi es i lawr i Fetws-y-coed, mi arhosais yno am ryw awr, wedyn mi rois lifft i ryw foi oddi yno i gyffiniau Corwen; roedd o ar ei ffordd i Lundain, stiwdant o'r enw Smithson. . ."

"Roeddat ti ar yr argae am ddeng munud wedi pump."

Datganiad oedd hwnna, nid cwestiwn.

"Nac oeddwn, roeddwn i rhwng Betws-y-coed a'r Bala."

"Roeddat ti yn Nhryweryn, mi gest ti a dy gar eich gweld. . ."

Mae'n rhaid mai blyffio oedd o.

"Roeddwn i a'r car rhwng Betws-y-coed a'r Bala. Mae gin i dacograff digidol ar y car – tshecia'r taco. Roedd y car ar y lôn yr amsar hwnnw, yn cael ei yrru gen i."

Doedd o ddim yn disgwyl honna. Syrthiodd ei wep. Claddodd ei wyneb yn y pentwr papurau o'i flaen fel pe bai o'n chwilio am rywbeth arall i'w ofyn. O weld y cwestiwn yn hir yn dod, mentrodd Tecwyn ofyn,

"Be sydd wedi digwydd?"

Atebodd o ddim. Trodd at ei gyfeillion.

"Ewch â fo i Ddolgellau."

Ddywedodd Cooper ddim byd pellach. Roedd gan Tecwyn syniad erbyn hyn fod a wnelo'r cyffro â'r Meibion. Rhaid fod rhywbeth wedi digwydd i'r argae yn Nhryweryn. Yna cofiodd. Wrth gwrs! Roedd y Meibion wedi rhoi rhybudd yn ôl ym mis Ebrill y byddent yn taro'r Sefydliad yn fisol, gan ddechrau yn Awst. Ar Awst y cyntaf, chwalwyd y rhan helaethaf o Gastell Caernarfon gan ffrwydriad anferthol. Roedd hi erbyn hyn yn fis Medi, a hon felly oedd gweithred Medi. Rhaid eu bod wedi bygwth neu ffrwydro argae Tryweryn.

Roedd y cyffro'n dal yn amlwg wrth iddo fynd yng nghwmni dau heddwas i gae'r hofrennydd. Roedd popeth oedd ar olwynion yn cael ei yrru i gyfeiriad Dolgellau, Ffestiniog neu Gorwen. Roedd y sowldiwrs yn mynd o dŷ i dŷ a'r dref yn gwagio.

Cafodd ei lusgo i'r hofrennydd, ac wrth iddynt godi fry, gallai weld y ffyrdd yn llawn cerbydau yn nadreddu eu ffordd tua'r gogledd, y gorllewin a'r dwyrain.

Ymhen chwarter awr, roedd Tecwyn Eleias yn Nolgellau, ac yn y celloedd.

* * *

"Tawelwch!"

Roedd y Prif Arolygydd Howard newydd orffen darllen adroddiad yr olaf o'r heddweision. Roedd o a Sarjant Hopwood wedi bod wrthi'n ddyfal yn chwilio a chwalu drwy'r dystiolaeth gasglwyd eisoes ac roedd y bwrdd gwyn yn llawn ysgrifen a damcaniaethau.

"Rydych chi i gyd erbyn hyn wedi cael cyfle i gymharu nodiadau. Rŵan, cywirwch chi fi os ydw i'n dweud rhywbeth nad ydi o'n gwneud sens.

"Pwy lofruddiodd Lara Roberts? Mae tair damcaniaeth. Yn gyntaf. Cleient. Rydan ni'n gwybod fod Lara Roberts yn gweithio fel hwran neu escort neu be bynnag leciwch chi ei galw hi. Ond nid hwran ceiniog a dima oedd hi. Pam, felly, y basa cleient yn ei lladd? Rhywun am gynnig atab?"

"Cleient cinci, syr? Efallai ei fod o isho iddi wneud rhywbeth nad oedd hi'n fodlon ei wneud?" cynigiodd un.

"Cleient enwog, syr? Rhywun oedd hi wedi ei adnabod, efallai? Ac yn bygwth sôn amdano?" cynigiodd un arall.

"Efallai mai gweithred rywiol wedi mynd o chwith oedd hi?" cynigiodd y trydydd.

"Dydi adroddiad y Patholegydd ddim yn nodi fod gweithred rywiol wedi digwydd. Fel arfer, os ydi tagu

45

neu fygu yn rhan o weithred rywiol, ar y diwedd mae hynny'n dod. Gan ei bod hi yn troi ac wedi troi ymhlith mawrion ac enwogion, go brin y buasai hi byth yn bygwth. . . Reit, gadwch hynna am funud; yr ail bosibilrwydd ydi fod un o'i chyd-escorts wedi'i lladd hi. Mae D.C. Johnson wedi cael gwybodaeth fod yna genfigen tuag ati am ei bod bob amser yn cael blaenoriaeth gan rai asiantaethau. Johnson?"

"Un o ferched Giovanni ddywedodd hynny, syr. Yn ôl honno, teimlad o 'wynt teg ar ei hôl hi' sydd yna ymhlith y merched eraill. Roedd y rhan fwya'n credu ei bod hi'n cael ffafriaeth – roedd hi'n gweithio bron bob nos tra byddai eraill yn gorfod bodloni ar ddwy neu dair noson yr wythnos."

"Faint fydden nhw'n ennill y noson, Johnson?"

"O leia gant a hanner neu ddau gant yr un. Mi fyddai tips ar ben hynny hefyd."

"Ellison? Chi fuodd yn y fflat?"

"Ie, syr." Cloffodd Ellison. Doedd o ddim yn siŵr pa drywydd roedd Howard yn ei ddilyn.

"Chawsoch chi ddim byd mwy na'r eitemau yma? Llyfr cyfeiriadau, dyddiadur a hanner dwsin o lythyrau?"

"Naddo, syr."

"Beth am fanylion cyfrifon banc neu Swyddfa'r Post?"

"Dim, syr."

"Beth am arian parod?"

"Dim, syr."

"Dyna i ni ddirgelwch a chymhelliad arall, felly. Os

oedd y ferch yn ennill tua wyth gant i fil yr wythnos, ble mae'i phres hi? A chymryd mai cenfigen oedd y cymhelliad, pwy o blith y merched fuasai'n ddigon caled i'w lladd hi mewn gwaed oer?"

"Ydach chi wedi gweld y rhestr o ferched sydd gan y sarjant, syr? Tyff cwcis bron bob un. . ."

"Y trydydd posibilrwydd ydi fod yna rywun cwbl ddiarth, heb gysylltiad o gwbl â hi, wedi'i lladd."

Distawrwydd llethol ddilynodd y datganiad yna. Roedd Howard eisoes wedi penderfynu pa drywydd i'w ddilyn nesa. Tybed pa un o'i ddynion fyddai'r cyntaf i weld y trywydd hwnnw? Johnson oedd o.

"Y ferch oedd yn rhannu tŷ hefo hi, syr! Os oedd hi'n cadw'i phres mewn arian sychion, ac os oedd y ddwy'n gweithio i'r un asiant, mae gan honno ddau gymhelliad, arian a chenfigen. . ."

"Beth oedd ei henw hi, Johnson?"

"Pierce, syr, Gwenfron Pierce."

*　　*　　*

Bu Tecwyn yn gorwedd yno am dair awr. Gorweddai ar ei astell a meddyliai am Lara. Lara a'r gwallt melyn yn gelain oer. Hogan fach o'r wlad yn y ddinas ddrwg. Lara a'r modrwyau aur ar y gobennydd glas. Lara a'i dagrau. Go damia hi! Doedd dim llonydd i'w gael ganddi. Ac oherwydd Lara, rywsut, yr oedd o yma. Ond pam? Crafodd allwedd yn nhwll y clo.

"Tecs!"

"Bob!!"

Cododd ei galon. Roedd Bob ac yntau wedi dechrau yn y Ffôrs gyda'i gilydd. Rhywle ar y ffordd gwahanodd eu llwybrau; aeth Tecwyn i boeni am Gymru, ac fe aeth Bob i ganolbwyntio ar ei yrfa.

"Be uffar TI'n ei wneud yma? 'Dan ni wedi'n brîffio i dderbyn un o'r Meibion."

"Fi ydi hwnnw, mae'n siŵr. . ."

"Ti!"

"Be uffar sydd wedi digwydd, Bob?"

"Tryweryn! Mae 'na fom wedi ffrwydro ar yr argae y bore 'ma, toc wedi pump. Mae o'n gracia i gyd, ac mae 'na bryder y bydd pwysa'r dŵr yn ormod iddo ddal."

"Blydi hel! Ac mae Cooper yn fy amau i?"

"Mi gymrith hi wsnosa i'w wagio fo. Mi ddaeth yna deleffacs gan y Meibion yn syth yn hawlio cyfrifoldeb. Mae sganars y fforensic wedi ffendio darnau o gloc deuddeng awr, felly rhywbryd rhwng pump a hanner awr wedi pump neithiwr y gosodwyd y bom."

Cyn belled ag yr oedd Tecwyn yn y cwestiwn, doedd ganddo ddim amheuaeth na fyddai'n rhydd mewn ychydig oriau. Roedd taco'r car yn cofnodi ei siwrnai ac mae'n siŵr fod Cooper yn ceisio cadarnhau stori'r myfyriwr. Mi fyddai Heilyn yn alibei pellach. Roedd o wedi anghofio sôn wrth Cooper am Heilyn. Problem fwya Cooper fyddai ceisio dirnad pam y byddai neb yn gosod bom yn Nhryweryn, ac yn cysgu yn y Bala yr un noson? Fe'i cadwodd i stiwio tan ddeg y nos. Dyna pryd y cyrhaeddodd yn ôl i Ddolgellau.

Am yr ail waith y diwrnod hwnnw, cafodd Tecwyn

ei hun yn cael ei holi gan Cooper.

"Be oeddat ti'n ei wneud yn sir Fôn?"

"Gweld cleient."

"Pwy?"

"Fedra i ddim deud heb ganiatâd."

"Pam?"

"Mater cyfrinachol, ond os ydi o'n fodlon i mi ddeud – iawn."

"Mi fedrwn i fynd drwy dy ffeils di."

Petai o'n blisman da, byddai o wedi gwneud hynny eisoes.

"Mae o'n gleient newydd. Dwi ddim wedi agor ffeil iddo fo eto."

"Mi fedrwn i roi chwistrelliad i ti."

Llefarodd y frawddeg yn oer a dideimlad. O gallai, gallai'n hawdd wneud hynny, ac mi fyddai Tecwyn yn dweud y cyfan oll wrtho. Ond roedd y ddau ohonyn nhw'n gwybod pen draw hynny. Ta-ta Tecwyn Eleias! Ni chythruddodd Tecwyn ddim o glywed y bygythiad. Teimlai'n saff. Roedd yna ormod wedi'i weld yn cael ei restio, ac roedd Bob yn gwybod. Roedd Tecwyn yn ddigon hyderus i alw'r blyff.

"Fyddet ti'n fy lladd i am rywbeth nad ydw i'n gwybod dim amdano?"

"Mi fuaset ti'n diflannu oddi ar wyneb y ddaear."

"Mae yna bobol sy'n gwybod 'mod i yma. . ."

"Neb na fuasai'n closio yn y rhengoedd."

Cododd Tecwyn un bys.

"Mae yna un, a wnei di hyd yn oed ddim mentro gwneud yr un camgymeriad ddwywaith!"

Roedd llygaid Cooper yn fflachio casineb i'w gyfeiriad. Oedd Tecwyn wedi ei wthio'n rhy bell? Ac yntau ar fin difaru iddo edliw y gorffennol i Cooper, dilynodd hwnnw drywydd arall.

"Mae gen ti lot o bres yn dy gar."

"Pum mil."

"Lle cest ti o?"

"Cleient."

"Cleient sir Fôn?"

"Fedra i ddim deud."

"Mi fedra i ffendio allan."

"Fedra i ddim deud heb ganiatâd."

"Be wyddost ti am y Meibion?"

"Dim."

"Dim? Dim byd?!"

"Dim mwy nag a wyddwn i pan oeddwn i yn y Ffôrs."

Oedodd Tecwyn. Mi gofiodd yn sydyn rywbeth a ddywedasai Rici wrtho. Beth oedd ei eiriau, hefyd? Rhywbeth am beidio â medlo hefo'r Meibion. Rhaid fod Cooper wedi synhwyro rhywbeth.

"Wyt ti'n siŵr?"

"Yn siŵr."

"Wyt ti'n cofio pam y cest ti sac o'r Ffôrs?"

"Mynd o 'ngwirfodd wnes i."

"Ia ddiawl!"

Doedd o'n mynd i unman, ac fe wyddai o a Tecwyn hynny'n iawn. Rŵan oedd yr amser i alw'r blyff.

"Ydw i wedi cael fy restio?"

Bu saib. Ysgydwodd ei ben ac ochneidiodd.

"Mae yna rywbeth ynglŷn â thi sy'n fy ngwneud i'n

anesmwyth. Os, naci nid os, PAN ffendia i gysylltiad rhyngot ti a hyn oll, mi'i cei di hi, Tecs; coelia di fi, mi'i cei di hi. Roeddat ti'n blisman da, ond toes yna ddim lle i deimladau nac emosiynau yn y Ffôrs."

"Gadael o 'ngwirfodd wnes i, Cooper, ac o be welais i heddiw, mi rydw i'n falch y cythrel 'mod i allan."

Amneidiodd Cooper ar y plisman i fynd â fo yn ôl i'w gell.

"Ydw i'n cael fy nghyhuddo o rywbeth?"

"Mi feddylia i dros y peth."

Y munud yr aeth o drwy'r drws, lled-orweddodd Cooper yn ôl yn ei gadair. Roedd Eleias yn amlwg yng nghanol y stiw yn rhywle, ond beth ar wyneb y ddaear oedd ei gysylltiad â'r Meibion?

Pwysodd fotwm ar ei ddesg.

"Evans? Dos i'r loc-yp i nôl sgidiau Tecwyn Eleias i mi, a ffonia Tommy Beveridge i ddod yma. . ."

Tommy Beveridge oedd dyn electronics y Ffôrs.

"Reit, Mr Eleias," meddai wrtho'i hun, "amser holi drosodd, amser ymchwilio'n dechra. . ."

Gollyngwyd Tecwyn yn rhydd toc wedi hanner nos. Roedd o'n cymryd yn ganiataol eu bod wedi bod drwy'r fflat a'r offis yn y Bala â chrib fân, ond châi o ddim dychwelyd yno, beth bynnag. Roedd y ffordd i'r Bala wedi'i chau. Roedd Cooper wedi dod â'i gar i Ddolgellau. Roedd o wedi cadw disgiau'r taco, a'r amlenni plastig oedd am y pres. Gan fod yna ddigon o nwy yn y tanciau i gyrraedd y brifddinas, penderfynodd Tecwyn droi trwyn y car tua'r de.

*   *   *

'Nôl ym Mhlas yr Ynys, roedd Elsie Roberts ar bigau'r drain. Roedd y teleffon wedi canu ddwywaith ac nid Dr Baker oedd yr un o'r galwadau. Doedd hi ddim wedi ateb yr un ohonyn nhw, oherwydd roedd hi wedi gweld rhif y galwr ar y sgrin ddigidol. Roedd y naill yn rhif tramor, a'r llall yn rhif o Iwerddon.

Busnes Cadwaladr fyddai'r alwad dramor, a Cadwaladr ei hun, fwy na thebyg, oedd yn ceisio'i galw o Ddulyn. Ond doedd hi ddim am ei ateb. Gallai daeru, pan ddychwelai, ei bod allan yn yr ardd, neu yn siopa.

Ond ble roedd Dr Baker? Dyna'r cwestiwn a'i poenai. Roedd o wedi addo y byddai'n rhoi gwybod iddi pryd y byddai'n galw ac y byddai wedi gwneud hynny cyn prynhawn heddiw.

"Lara. . . Lara. . ."

Adroddodd ei henw'n uchel wrthi'i hun. Llithrodd ei meddwl yn ôl unwaith eto at ei merch, a goddiweddwyd hi gan yr holl deimladau o euogrwydd oedd wedi bod yn cronni ynddi ers rhai dyddiau. Pan oedd hi fwya angen ei mam, doedd hi Elsie ddim yno. Efallai ei bod wedi ceisio ffonio? Ceisio cysylltu â hi neu Cadwaladr?

Aeth at y cwpwrdd ger ei gwely am y canfed tro, ac estyn y pecyn a roesai Lara iddi. Bocs cardfwrdd oedd o, wedi'i selio â thâp brown trwchus, gloyw.

"Peidiwch â'i agor o, Mam, jyst cadwch o'n saff i mi, plîs!"

Dyna ddywedasai Lara wrthi, ac roedd hynny ychydig ddyddiau cyn iddi farw. A rŵan fedrai Elsie ddim ei dwyn ei hun i agor y pecyn. Roedd arni ofn edrych ar ei gynnwys.

Tarfwyd ar ei meddyliau gan sŵn cloch y gatiau'n diasbedain trwy'r cyntedd. Rhuthrodd i lawr y grisiau a phwysodd fotwm goleuo'r sgrin. Rhoddodd ochenaid o ryddhad pan welodd wyneb Dr Baker yn llenwi'r sgrin. Ffliciodd y swits i agor y gatiau, ac wedi i'r doctor ddreifio drwyddynt, caeodd nhw ar ei ôl. Anadlodd Elsie'n ddwfn ddwywaith ac aeth at y drws i'w dderbyn.

Clywai ei hanadl ei hun yn byrhau a'r dagrau'n cronni yn ei llygaid. Roedd panig yn dechrau gafael ynddi. Cododd ei llaw dde i agor y drws a cheisiodd sychu'i dagrau â'r llall. Roedd cysgod y doctor yn ffenestr y drws. Agorodd y drws a gwelodd ei wyneb yn gwenu arni, ond ni fedrai ddal dim mwy. Syrthiodd i'w freichiau a dechreuodd feichio wylo.

*   *   *

Hanner awr wedi gadael y dref, trodd Tecwyn Eleias yn ei ôl, a dreifio dau neu dri kilometr yn ôl am Ddolgellau, rhag ofn bod dynion Cooper yn ei ddilyn. Doeddan nhw ddim. Cafodd yntau ddigon o amser i droi a throsi pethau yn ei feddwl ar y ffordd i Gaerdydd.

Ia, gadael y Ffôrs o'i wirfodd ddaru Tecwyn, ond chafodd o ddim dewis mewn gwirionedd. Roedd o'n cofio'r noson yn iawn. Roedd dros dair blynedd wedi pasio. Iesu, fel mae amser yn hedfan!

Roedd yna ddiawl o helynt wedi bod ar ôl i un o'r

Meibion farw yn y celloedd yn Nolgellau, felly pan restiwyd Sianco Tudur yn fuan wedyn, fe ddaeth y gorchymyn o'r top i gŵlio petha, a pheidio â waldio. Ond roedd rhai o'r hogia eisiau i hwnnw fynd 'run ffordd â'i fêt. Fe wrthwynebodd Tecwyn. Y fo, a dim ond y fo. I weddill yr hogia, felly, roedd o'n fradwr, yn wan, yn grac yn y wal, yn ffanatig.

Y noson honno roedd Tecwyn, Bob, Cooper a boi o'r enw Blackwood yng ngofal y steshon. Fe aeth Blackwood i gell Sianco tua dau yn y bore, ac er i Bob geisio'i rwystro, aeth Tecwyn ar ei ôl o. Doedd gan Sianco druan ddim siawns. Roedd Blackwood yn grymffast cryf, yn gyn-aelod o'r *Elite Berets*, ac yn ei waldio'n ddidrugaredd. Creadur eiddil oedd Sianco, ac ni wnâi unrhyw osgo i'w amddiffyn ei hun, dim ond derbyn y cyfan yn dawel. Rhoddodd Tecwyn ei bastwn yn galed ar wegil y Sais nes oedd o'n lwmp llonydd ar lawr y gell. Ysgrifennodd adroddiad, a'i roi i Cooper, gan bostio dau gopi arall, y naill i'r Pencadlys a'r llall i Bennaeth yr Adran Gŵynion.

Fe fuodd yna ddiawl o helynt, ond fe'i cadwyd yn dawel. Roedd Blackwood yn Uwch-swyddog, a rhes o fedalau yr *Elite Berets* yn sgleinio ar ei frest, a Tecwyn yntau'n blisman cyffredin. Mi fuodd Bob yn gefn iddo yn yr ymchwiliad mewnol, a wnaeth hynny ddim lles iddo yntau. Rhoddwyd ar ddeall i Tecwyn yn syth nad oedd dyfodol iddo yn y Ffôrs. Cafodd Blackwood ei symud i Loegr, a chafodd Tecwyn gynnig swydd y tu ôl i ddesg yn y Pencadlys Rhanbarthol ym Mhwllheli. Roedd ei lythyr o ymddiswyddiad ar fwrdd y *Chief* drannoeth, ac ymhen deufis roedd ei swyddfa Ditectif Preifat wedi agor yn y Bala.

Aeth ei feddwl yn ôl at yr hyn a ddywedasai Rici wrtho. Dweud wrtho am beidio â herio'r Meibion. Roedd Rici, felly, yn un ohonyn nhw – neu o leia â rhyw gysylltiad â nhw. Roedd o yn y Bala ar yr union noson y ffrwydrodd y bom. Cyfleus iawn. A beth oedd yr enwau ddaru Rici weiddi? Ger ac Ali neu Alan? Roedd Tecwyn yn awyddus i gyfarfod ei ffrindiau eto – ond fesul un y tro nesa.

Roedd yng Nghaerdydd ymhen dwyawr a phenderfynodd gysgu yn ei gar. Fe fyddai'n barod am Rici drannoeth.

4

PAN DDEFFRÔDD, gwyddai Cadwaladr Roberts ei fod yn rhywle diarth. Doedd y mymryn golau a ddihangai o'r tu allan i mewn i'r ystafell ddim yn dod o'r un cyfeiriad ag y deuai ym Mhlas yr Ynys, ac roedd cysgod bygythiol y waliau yn nes ato o lawer nag ehangder golau, cyfforddus ei ystafell wely'i hun. Cymerodd rai eiliadau iddo gofio mai mewn gwesty yn Nulyn yr oedd.

Edrychodd ar ei wats a gweld ei bod newydd droi saith. Rhy gynnar i godi a gwagsymera, rhy hwyr i fynd yn ôl i gysgu, felly beth a wnâi? Penderfynodd godi, a mynd am dro.

Doedd dim byd cystal â cherdded Stryd O'Connell cyn i fwrlwm y bore gychwyn o ddifri, meddai wrtho'i hun. Cerdded yr heolydd gweigion ac oedi ar Bont O'Connell a syllu ar fochyndra'r Liffey yn sleifio heibio. Gwrando ar chwibanu uchel Gwyddel byrgoes yn brecio'n galed cyn rhuthro o'i sedd i gefn ei fan a thaflu bwndel o bapurau newydd i gysgod drws Easons. Cerdded heibio llwydni bygythiol y Swyddfa Bost a'i chreithiau celyd. Fyddai Cadwaladr Roberts byth yn dod i Ddulyn nac i Stryd O'Connell heb oedi, syllu a rhyfeddu ar Swyddfa'r Post. Roedd edrych a chofio yn codi cywilydd arno. Cywilydd am hanes ei genedl ei hun. . .

Aeth i lawr un o'r strydoedd cefn. Roedd honno'n llawn bywyd a bwrlwm. Degau, os nad ugeiniau, o fasnachwyr yn paratoi eu stondinau ffrwythau am ddiwrnod arall o fasnachu. Bu'n syllu arnynt am gryn hanner awr. Pob un â'i ddiwrnod llawn o'i flaen, fel yntau.

Erbyn iddo ddychwelyd i'w westy roedd yr ystafell fwyta wedi agor, ac aeth at fwrdd yn y gornel i ddisgwyl am Pádraig. Edrychodd draw tuag at y bwrdd hulio.

"Does yna'r un brecwast fel brecwast Gwyddel!" meddai wrtho'i hun. Yna chwarddodd yn dawel.

Doedd yna'r un genedl fel y Gwyddelod; doedd yna'r un brifddinas fel Dulyn; a doedd yna'r un brecwast fel brecwast Gwyddel. Be ddiawl oedd o'n ei wneud yn byw yng Nghymru?!

Edrychodd ar ei wats. Chwarter i wyth. Cododd ac aeth i nôl gwydraid o sudd oren.

Gwelodd Pádraig yn cyrraedd y drws ac yn holi un o'r gweinyddwyr. Cododd yntau ei law arno, a chamodd y Gwyddel tuag ato. Roedd gwên lydan ar ei wyneb.

"Pádraig!"

"Cadwaladr."

Cymylodd yr wyneb am ennyd.

"Roedd yn ddrwg gen i glywed am dy brofedigaeth di. . ."

Ysgydwodd Cadwaladr ei ben.

"Hen fyd cas a chreulon, Pádraig. Hen fyd cas a chreulon. Sut mae Mary?"

"Llawn geiriau a llond ei chroen – fel arfer!"

"Syniad da oedd cael brecwast fel hyn. Tipyn gwahanol i gael cinio neu swper. Nid yn aml y bydda i wedi gwneud awr neu ddwy o waith cyn cyrraedd y banc!"

"Pan fydd hyn drosodd, Pádraig, go brin y bydd raid i ti godi fyth wedyn i gyrraedd y banc!"

Chwarddodd y Gwyddel eto.

"Sut mae pethau yng nghóloni ola'r Sais?"

Tro Cadwaladr oedd chwerthin y tro hwn.

"Gallai fod yn well; mi fydd yn well – gyda hyn!"

Gwenodd y Gwyddel ac eisteddodd.

"Sut daith gest ti drosodd?"

"Esmwyth iawn, mi ddois i'n gynnar neithiwr. Roedd hynny'n rhoi amser i mi gael ychydig o oriau yn Nulyn – mwynhau ychydig o fywyd nos y ddinas."

"Petawn i'n gwybod dy fod ti'n dod, fe allet fod wedi cael dod draw i Castleknock. . ."

"Wnes i ddim penderfynu tan y pen dweutha 'mod i'n dod, a beth bynnag, prin digon o amser i setlo yn y gwesty a chael pryd o fwyd ges i cyn dy ffonio di."

"Petait ti wedi ffonio 'nghynt, mi fyddwn i wedi cael cyfle i ddianc! Wyt ti'n aros noson arall?"

"Bobol annwyl, nac ydw! Rydw i'n hedfan tua hanner dydd yn ôl i Gaerdydd. Mi wna i brynhawn o waith yno cyn cychwyn yn ôl am y gogledd i fwrw'r Sul. Tyrd, wir dduwcs, neu fydd yna ddim brecwast ar ôl i ni!"

Cododd y ddau a mynd i gyrchu'u bwyd. Wedi dychwelyd at eu bwrdd, ni fedrai Cadwaladr Roberts beidio â sylwi ar y twmpath anferthol o fwyd oedd yn gorchuddio plât Pádraig. Ac yntau'n meddwl ei fod o'n dipyn o fwytwr ei hun, roedd gweld cynnwys plât Pádraig yn agoriad llygad.

Roedd Cadwaladr wedi bod yn meddwl ers meitin am ei gwestiwn agoriadol i gychwyn y sgwrs. Pan dybiodd fod yr amser yn addas, a'r rhan fwya o'r mân siarad drosodd, mentrodd.

"Ddaru Crass neu Lieber gysylltu â thi?"

"Naddo. Ddylien nhw fod wedi gwneud?"

Cododd Cadwaladr ei ysgwyddau.

"Fel mae'r amser yn dynesu, maen nhw. . . mae Crass yn sicr o fynd yn fwy nerfus. Duw a ŵyr pam, mae o wedi handlo nifer fawr o gytundebau mwy na hwn, ac yn ôl pob tystiolaeth wedi cyflawni nifer fawr o bethau dan din. . ."

Oedodd. Roedd Pádraig eisiau dweud rhywbeth ond roedd llond ei geg o fwyd. Chwifiodd ei gyllell a chnodd yn frwd.

"Cymhelliad, Cadwaladr, dyna'r gwahaniaeth. Dim ond cymhelliad ariannol sydd gan Crass, mae gan Lieber a chdithau, a finna i raddau llai, gymhellion amgenach."

"Gest ti sgwrs hefo rhai o benaethiaid y banc?"

Ysgydwodd ei ben.

"Naddo. Mi ddywedais i yr wythnos dweutha y byddai'n rhaid gosod rhes o fachau iddyn nhw o hyn i ben y mis. Dwi wedi dechrau. Mi soniais i wrth y Prif Ddyn 'mod i wedi clywed o Lundain fod yna ddêl gwerth miliynau yn y gwynt, a bod cwmni o'r Almaen yn chwilio am fanc rhyngwladol fel brocer. . ."

"A be ddywedodd o?"

"Mi llyncodd hi'n syth. Rydw i fod i fynd i Lundain am ddeuddydd i wneud mwy o ymchwil ar y peth."

Gwenodd Cadwaladr.

"Ac fe ei di?"

"Wrth gwrs, nid bob diwrnod y bydda i'n cael cynnig fel yna. . ."

"Pam na ddoi di draw i sir Fôn yn lle mynd i Lundain?"

"Efallai, efallai'n wir, ond dwed ti wrtha i rŵan, pam wyt ti yma heddiw?"

"Jyst gweld fod popeth yn iawn hefo ti."

"Mi allet ti fod wedi gofyn hynna i mi ar y ffôn."

Gosododd Cadwaladr ei gyllell a'i fforc i lawr ar y bwrdd. Edrychodd i fyw llygaid y Gwyddel.

"Pádraig, ti ydi'r un allweddol yn y cynllun yma. Mi all y cyfan sefyll neu syrthio yn y banc. Mae'n rhaid i mi fod yn berffaith saff ac yn dawel fy meddwl. . ."

". . . na fydda i'n cracio? Brawddeg ryfeddol yn dod o enau Cymro!"

"Yn enwedig pan fo'r frawddeg honno'n cael ei llefaru wrth Wyddel! Na! Nid dyna pam ddois i draw yma, Pádraig. Mae'n rhaid i mi fod yn dawel fy meddwl fod popeth wedi'i drefnu o safbwynt y banciau. Fel y gwyddost ti, mi fydd yn rhaid rhannu'r arian ddaw i law i ryw ddwsin o gyfrifon mewn amryw o fanciau."

Estynnodd Cadwaladr ddalen lân o bapur.

"Yn naturiol, mi fydd y prif gyfrif yn dy fanc di, ac o

dan dy ofal di – dwi wedi dod â 'chydig o filoedd i'w agor o heddiw. Yr hyn mae arna i ei angen gen ti ydi gwybodaeth am fanciau a changhennau eraill, pobl allweddol o fewn y banciau hynny. . . ti'n gwybod, rhai fydd yn barod i rhoi *kick-back* go sylweddol am y busnes."

Bu'n rhaid i Pádraig chwerthin. Doedd dim pall ar ddyfeisgarwch y Cymro! Dyn busnes oedd o o'i gorun i'w sawdl, yn gweld cyfle i wneud ceiniog ymhob twll a chornel.

"Mi ofala i am y *kick-backs*, Cadwaladr! Be ddeudi di i ryw gyfri bach ar y cyd? *Joint account* rhywle yn y gorllewin? Galway? Wedyn, ambell benwythnos yn un o'r gwestai gorau? Wel?"

Cododd Cadwaladr ei ddwy law oddi ar y bwrdd, plethodd nhw ynghyd ac estyn draw yn nes at Pádraig.

"Dwsin o gyfrifon, a rhai miliynau'n mynd drwy bob un. Fydd o'n werth deng mil am bob cyfrif?"

Ysgydwodd Pádraig ei ben.

"Lwcus os ca i bump."

"Dwyt ti ddim yn bargeinio'n ddigon caled, Pádraig!"

"Mi fedrwn i golli fy job petai fy manc i fy hun yn dod i wybod 'mod i'n agor cyfrifon ar hyd a lled y Weriniaeth. . ."

"Reit. Mi adawa i'r ochr yna i gyd i ti, ond mi fedra i ddisgwyl faint, o leia trigain mil?"

"Rhyngon ni. . . medri."

"Dyna ti, Pádraig! Roedd dod draw i Ddulyn yn werth yr amser felly, yn doedd?"

"Does yna'r un o'r ddau arall yn cael traed oer, oes yna?"

Ysgydwodd Cadwaladr ei ben a cheisio ymddangos yn ddidaro. Oedd Pádraig wedi synhwyro rhywbeth? Oedd, mi roedd o eisiau trefnu i agor cyfrifon yn Iwerddon, ond prif reswm Cadwaladr Roberts dros groesi oedd i weld fod Pádraig yn dal yn gadarn.

"Does dim rheswm gan yr un ohonyn nhw dros banicio. Tydyn nhw wedi arfer â delio mewn cytundebau mawrion. . . Wyt ti wedi sôn rhywbeth wrthyn nhw yn y Gogledd fod pres ar y ffordd?"

"Mae Máirtin yn gwybod rhywfaint."

"Mi fydd yn hwb. . ."

". . . mae miliwn o bunnau i'r iaith yn Baile Fearst yn mynd i wneud gwahaniaeth mawr."

Cododd Cadwaladr ei wydraid o sudd oren.

"I'r Iaith yn Baile Fearst, i'r Iaith yng Nghymru, a beth bynnag mae'r ddau arall yn mynd i'w wneud hefo'u pres nhwythau! Iechyd da, Pádraig!"

Cododd y Gwyddel ei wydr yntau.

"Iechyd da, Cadwaladr!" sibrydodd, cyn llowcio'r ddiod ar ei thalcen.

* * *

Erbyn chwech o'r gloch y bore roedd Tecwyn wedi cyffio, ac yn teimlo'n reit ryff. Gan fod digon o amser wrth gefn, aeth i westy yn Heol y Gadeirlan i roi'i ben i lawr. Cysgodd nes ei bod hi'n bedwar o'r gloch y prynhawn. Cododd yn syth ac aeth ar ras wyllt i stiwdios Lloeren Cymru – diolch byth, roedd car Rici yn y maes parcio.

Bu'n rhaid iddo aros am ddwy awr a hanner cyn gweld Rici'n gadael yr adeilad. Cerddodd o'r stiwdios a rhyw hoeden yn hongian ar ei fraich. Wedi'i chusanu a ffarwelio â hi, neidiodd i'w gar. Dilynodd Tecwyn ef i dŷ anferth ar gyrion Llandaf. Rhaid mai dyma'i gartref. Bu'n rhaid iddo aros yno am dri chwarter awr cyn iddo adael y tŷ a cherdded dau gan llath i dafarn Yr Afr Aur. A bod yn fanwl gywir, i lolfa'r Afr Aur. Aeth Tecwyn i'r bar. Eisteddodd ar letraws fel y gallai weld drwy'r bar i gyfeiriad y tai bach. Dau beint yfodd Rici cyn penderfynu piso.

Roedd Tecwyn yno'n barod amdano fo. Tra oedd o'n cael gwagiad, sleifiodd y tu ôl iddo fo. Mewn chwinciad, roedd braich fel feis rownd ei wddw, a chyllell finiog yn brathu'i gwd. Roedd Tecwyn yn gafael ynddo mor dynn, doedd ei draed o prin yn cyffwrdd y llawr. Trodd Tecwyn ef rownd i wynebu'r drych, er mwyn iddo ei adnabod. Roedd golwg y fall arno fo.

"Pryd welaist ti Lara ddweutha?"

Llaciodd fymryn ar ei afael, er mwyn iddo gael ateb. Fe gymerodd yntau hynny fel arwydd o wendid, ac mi geisiodd ddianc. Un crafiad â'r gyllell ac roedd o yn ei ôl yn byhafio, ac yn stiff fel procar.

"Ddwy flynedd yn ôl, mi aeth i ardal Canton, cyfarfod rhywun arall, a welais i mohoni wedyn."

"Lle roedd hi'n byw?"

"Rhannu hefo dwy arall, tŷ mawr yn Canton, wn i ddim lle'n union."

"Pwy oedd y lleill?"

"Wn i ddim. . ."

Cafodd Tecwyn y teimlad ei fod yn dweud celwydd. Gwthiodd y gyllell fymryn yn galetach.

"Gwenfron. . . Gwenfron oedd enw un, mi fues i hefo hi ar ôl rhyw barti, wn i ddim mwy, wir Dduw."

"Pwy oedd y myncwns yna oedd hefo chdi yn y Bala?"

Roedd o'n chwysu, ond ddwedodd o ddim.

"Pwy oeddan nhw?"

"Ffrindiau. Fydd yna ddim achos; 'dan ni. . . dwi'n gollwng y cyhuddiadau."

"Oeddan nhw'n rhai o'r Meibion?"

Gallai Tecwyn deimlo'i gyhyrau'n cloi. Gwthiodd y gyllell a sgyrnygodd rhwng ei ddannedd.

"Eu henwau, tosh!"

"Fedra i ddim."

"Toes yna NEB yn cael gwneud hynna i mi, ti'n dallt? Pwy oeddan nhw?"

"Fedra i ddim deud."

Brathodd y gyllell yn ddyfnach nes tynnu gwaed, ond doedd o ddim ar fwriad dweud. Caeodd ei lygaid yn dynn i dderbyn unrhyw boen bellach. Roedd wedi cael llond tin o ofn, roedd hynny'n amlwg yn ei lygaid, ond roedd o fwy o ofn ei gyfeillion.

Llaciodd Tecwyn ei afael yn araf bach. Yr un pryd, symudodd y gyllell yn araf ar hyd ei drywsus, a chydag un plwc sydyn, torrodd ei felt.

"Tynna nhw!"

"Na!"

"Tynna nhw!"

Fe'u tynnodd, ac aeth Tecwyn â nhw i'w ganlyn. Ac yno, yn y pisdy, yn ei drôns, y gadawodd o Rici Rhisiart yn crynu. Ai crynu gan ofn neu o ryddhad, ni wyddai Tecwyn. Rici'n unig wyddai'r ateb i hynna.

*   *   *

Roedd cythral o dempar ar Cooper ac roedd Sami'n ofalus iawn sut y byddai'n ateb ei sylwadau neu ei gwestiynau.

"Ma'r basdad Eleias 'na'n gwybod rhywbeth! Siŵr Dduw i chdi, dwi wedi gweithio digon hefo'r bygar i wybod am ei ffordd o weithio. Dwi'n siŵr ei fod o'n un ohonyn nhw. . ."

"Doedd 'na ddim byd yn ei fflat o na'i swyddfa fo i awgrymu hynny," ebe Sami, gan feddwl ei fod yn cyfrannu at y drafodaeth.

"Nag oes, siŵr Dduw! Be uffar ti'n feddwl ydi o? Ffŵl? Arglwydd Moses, mae o'n rhy gyfrwys i hynny!" Yna ychwanegodd gyda gwên, "Cofia mai fi trêniodd o!"

Gafaelodd Cooper unwaith eto yn y ddalen bapur a gawsai'r bore hwnnw o'r lab yn Preston. Roedd y rhifau oedd ar y bagiau pres yng nghar Tecwyn Eleias yn cyd-fynd â rhifau arian gafodd ei ddwyn oddi ar drên ychydig fisoedd ynghynt, ac roedd y Meibion wedi cyfaddef i'r lladrad.

"Trafod eiddo wedi'i ddwyn? Fasa honno'n sticio, dywad?"

"Fasa fo ddim mor wirion â'u gadael yn ei gar, yn

enwedig ar ôl i ni ei holi o'r tro cynta."

"Cleient ddeudodd o, cleient o sir Fôn. . . oedd yna rywbeth yn y petha ddaeth o'i fflat neu ei swyddfa yn deud pwy oedd hwnnw neu honno?"

" 'Dan ni ddim wedi gorffan mynd trwy'r swyddfa eto, ond mae'i ddyddiadur dyddiol o'n fa'ma. . ."

Gafaelodd Cooper yn y dyddiadur ac edrychodd ar ddalen ar ôl dalen lân. Roedd ambell nodyn blêr yma ac acw, ond roedd hi'n amlwg nad oedd Tecwyn Eleias yn cadw manylion llawn yn ei ddyddiadur. Arhosodd yn sydyn a chododd ei ben.

"Pa ddiwrnod y lladdwyd Lara Roberts?"

"Seithfed. . . nos Wener, pam?"

Gwenodd Cooper. Roedd ei fys wedi aros gyferbyn â dydd Gwener y seithfed yn nyddiadur Tecwyn Eleias. Roedd dau air wedi eu hysgrifennu gyferbyn â'r dyddiad. "Joe" a "Caerdydd".

Daeth Sami ato ac edrychodd ar y ddau air. Syllodd ar Cooper. Gwenodd hwnnw.

"Syrcymstanshal, ella. Ella wir. Wyddost ti be, Sami, dwi'n meddwl ei bod yn bryd i ni gael gair hefo'r plisman sy'n rheoli'r ymchwiliad i farwolaeth Lara Roberts."

"Ond mae o tu allan i'n brîff ni, syr; dydi o ddim yn fater ffederal. . ."

Twt-twtiodd Cooper, ac edrychodd ar Sami fel hogyn bach.

"Os oes a wnelo fo â'r Meibion, Sami, mae o'n fater ffederal!"

Dechreuodd Sami chwerthin ac ysgydwodd ei ben

mewn edmygedd.

"A dwi isho i chdi fynd lawr yno, Sami. Mi fydd angen dyn sy'n gwybod am Eleias. Mi gei di ddarllen ei ffeil o cyn mynd. . ."

"Pa mor bell dwi fod i fynd, syr?"

"Os oes a wnelo Eleias unrhyw beth â'r Meibion, Sami, dwi isho croen y diawl yna ar y parad 'ma, a diawl ots gen i sut. Dallt?"

Gwelodd Cooper res o ddannedd gwynion. Roedd Sami yn dallt.

*   *   *

Yn y bumed siop y bu Tecwyn yn lwcus. Pan welodd ei llun, roedd gŵr y siop yn ei hadnabod. Byddai Lara'n galw yno'n aml. Roedd o'n credu ei bod yn byw rownd y gornel. Os oedd gan Tecwyn ddau funud, roedd y gŵr yn siŵr y gallai ffendio'i chyfeiriad. Roedd hi'n benthyca ffilmiau fideo weithiau. Roedd ei chyfeiriad yn y llyfr mawr glas.

Ymhen ychydig funudau roedd Tecwyn yn cnocio ar ddrws derw solat tŷ teras bychan rownd y gornel i'r siop. Agorodd ffenestr ddiogelwch fechan, a gwelai bâr o lygaid duon, dwfn yn edrych arno.

"Tecwyn Eleias. . . ditectif. . ." meddai wrth y llygaid.

Doedd hi ddim yn talu bob amser i ychwanegu'r gair 'preifat'.

Aeth ias arall i lawr cefn Gwenfron. Doedd bosib fod hwn eto'n dod â newyddion iddi? Roedd ymweliadau'r heddlu mor belled wedi bod yn rhai poenus. Roedd hithau wedi credu mai holi'r ddau swyddog y prynhawn cynt oedd diwedd y mater iddi hi.

Agorodd y drws. Sylwodd Tecwyn fod hon eto'n eneth brydferth. Gwallt du fel ei llygaid, ond doedd y rhain ddim yn chwerthin. Roedd olion pryder a braw ynddyn nhw.

"Chi ydi. . . ?"

"Gwenfron. Ffrind i Lara."

"Wrth gwrs."

"Dowch drwadd."

Roedd y tŷ'n grand, y dodrefn yn grand, a phob man yn lân a thaclus. Roedd hi'n amlwg fod y rhain yn genod hefo chwaeth, a phres.

"Gymrwch chi ddiod, Mr Eleias?"

"Plîs. . . Tecwyn ydi'r enw. Tecs i fy ffrindia, galwa fi'n Tecs."

Daeth cysgod o wên dros yr wyneb.

"Te neu goffi. . . Tecs?"

"Beth bynnag sydd hawsa i'w wneud, cyhyd â'i fod o'n boeth ac yn wlyb. . . mae coffi'n iawn."

Eisteddodd ar y soffa a dechrau gadael i'w lygaid fusnesu. Tomen o gylchgronau, CD's, fideos, llyfrau filoedd, cabinet coctels, ac yn ôl y tri drws a arweiniai o'r stafell hon, roedd stafelloedd drwadd hefyd.

" 'Sgin ti le chwech?"

"Trwy'r drws gwydr, yr ail ar y dde."

"Y diawl digywilydd" oedd y geiriau cyntaf ddaeth i feddwl Gwenfron. Roedd hi wedi sylwi ar ei lygaid yn crwydro. Rêl plisman. 'Chwaneg o gyfle i fusnesu. Mi fyddai'n gweld dwy lofft a stafell molchi a thoiled.

Pan ddychwelodd roedd cwpan wedi'i osod ar y bwrdd bach o'i flaen. Roedd y baned yn gryf ac yn boeth.

"Panad dda!"

"Digon cryf i roi blew ar eich *chest* chi!"

Roedd hiwmor yn perthyn iddi hefyd.

"Pryd welaist ti Lara ddweutha?"

"Dydd Llun. Mi ddywedais i hynny wrth y plisman arall."

"Oedd hi'n edrach yn iawn?"

"Oedd."

"Dim byd yn ei phoeni?"

"Na."

"Gynnoch chi dŷ neis."

" 'Dan ni'n trio'n gorau i'w gadw fo'n daclus."

"Dim ond chdi a Lara sydd yma?"

"Mi fuodd yna un arall, Siw. . . ond mi symudodd hi dramor."

"Pwy sydd biau'r tŷ?"

Oedodd Gwenfron. Pa ddiawl o fusnes oedd hynny i hwn? Ceisiodd osgoi'r cwestiwn.

"Tydan ni byth yn ei weld o. Talu drwy'r banc ydan ni unwaith y mis. Mae yna rif ffôn argyfwng, dyna i gyd."

"Lle roedd Lara'n gweithio?"

Ysgydwodd ei hysgwyddau.

"Lle rwyt ti'n gweithio?"

"Risepshynist."

"Difyr?"

"Rhywbeth i'w wneud, ac mae o'n talu'r biliau bob mis."

Roedd hi'n palu celwyddau. Mi wyddai Tecwyn hynny'n iawn, ac yn sydyn roedd hi'n nerfus i gyd.

"Dwi wedi deud hyn i gyd wrth eich ffrind chi."

Penderfynodd Tecwyn nad oedd dim amdani ond neidio i'r dwfn i weld beth fyddai'r ymateb.

"Tydw i ddim hefo'r heddlu. Ditectif preifat ydw i."

"Ond mi ddeudsoch chi. . . !"

"Mi ddywedais i mai ditectif oeddwn i; rydw i'n gweithio ar y ces yma i gleient arbennig."

"Ond. . ."

Roedd Gwenfron yn teimlo'r gwrid yn codi. Roedd hwn wedi'i thwyllo. Wedi dod i mewn i'w chartref o dan yr esgus ei fod yn blisman. Wel, doedd dim rhaid iddi ateb yr un o'i gwestiynau. Penderfynodd na fyddai'n ildio dim gwybodaeth o'i gwirfodd bellach. Fe gâi hwn ei holi a'i stilio'n dwll am bob sgrap o ateb.

Wrth edrych arni'n gwrido ac yn ceisio'i had-feddiannu'i hun, roedd hi'n amlwg i Tecwyn fod Gwenfron wedi treulio'r newydd yn ei meddwl ac yn bwriadu peidio â chydweithredu.

"Beth oedd gwaith Lara?"

"Dwi ddim yn gwybod."

"Ddim yn gwybod, neu ddim am ddweud? Y? Wyt ti'n meddwl mai boddi ddaru hi?"

Roedd Tecwyn yn gwybod ei fod wedi taro man gwan. Roedd hi wedi dychryn, ac wedi penderfynu cau ei cheg. Roedd ei gwefusau'n crynu.

Roedd y cwestiwn yn un yr oedd Gwenfron wedi'i ofyn iddi hi'i hun ganwaith ers clywed am farwolaeth Lara. Ei hofn mawr oedd nad boddi a wnaethai Lara. Ac os nad hynny, roedd hi wedi'i llofruddio. Lara wedi'i llofruddio! Os mai un o'r cleients a'i lladdodd hi, pa un ohonyn nhw fuasai'r nesaf? Aeth ias i lawr ei hasgwrn cefn. Roedd yn rhaid iddi ffonio Mo yn syth. Roedd yn rhaid iddo fo gael gwybod am y ditectif yma.

"Ydach chi'n fodlon gadael, plîs?"

"Isho gwybod ychydig am Lara ydw i. . . dyna i gyd. . ."

Oedodd Gwenfron fymryn cyn ei ateb. Roedd yna rywbeth yn ei lais oedd yn gwneud i hwn swnio'n wahanol. Bu bron iddi â newid ei meddwl, ond cadwodd at ei phenderfyniad gwreiddiol.

"Dwi ddim isho siarad hefo chi – wnewch chi adael, plîs?"

"Mi fydd yn rhaid imi gael gwybod."

"Ewch o'ma!!"

Roedd hi ar ei thraed ac yn dechrau ypsetio. Penderfynodd Tecwyn ei bod yn bryd gadael. Gadawodd ei gerdyn iddi, gan nodi rhif ffôn y car, rhag ofn y byddai arni hi angen rhywbeth neu rhag ofn y byddai am gysylltu â fo ymhellach.

Wedi cael ei gefn, rhoddodd Gwenfron glep i'r drws ar ei ôl. Safodd am rai eiliadau a'i chefn ei hun ar y drws. Caeodd ei llygaid a rhoddodd ochenaid o ryddhad.

Yn bwyllog, cerddodd yn ei hôl i'r lolfa, gwnaeth ddiod gref iddi'i hun ac eisteddodd. Aeth dros yr holl gwestiynau a ofynnodd y ditectif iddi a cheisio'u dadansoddi yn ei meddwl.

Wedi aros am beth amser, penderfynodd nad oedd angen iddi ffonio Mo i ddweud wrtho am y ditectif. Wedi'r cyfan, go brin y gwelai ef byth eto.

Roedd Lara wedi marw. "Marw!" Sibrydodd y gair yn ffyrnig. Doedd "Lara" a "Marw" ddim yn mynd gyda'i gilydd. Doedden nhw ddim i fod i fynd gyda'i gilydd! Gwthiodd ei phen i glustog y soffa a dechreuodd wylo unwaith eto.

*   *   *

Roedd Elsie Roberts yn nerfus. Roedd hi'n nerfus iawn. Roedd hi wedi dreifio i glinic Dr Baker, ond doedd hi ddim yn edrych ymlaen at ei weld.

Cwta awr y bu'r Doctor gyda hi ddoe. Roedd hi wedi dechrau siarad ag o, ond roedd o wedi rhoi taw arni, ac wedi rhoi tabledi iddi i wneud iddi fynd i gysgu.

Roedd wedi croesi meddwl y Doctor i anfon yn syth am ambiwlans a mynd â hi i'w uned seiciatryddol, ond efallai mai gorymateb fyddai hynny. Roedd un peth yn sicr, doedd Elsie Roberts ddim yn wraig iach.

"Lle mae Cadwaladr?"

"Yn Iwerddon ar fusnes."

"Pryd fydd o adre?"

"Heno, nos yfory. . . Duw a ŵyr."

"Gwrandwch chi arna i rŵan, Mrs Roberts. Mae marwolaeth Lara wedi dod fel sioc i chi. Mae'n amlwg nad ydach chi wedi cysgu fawr ers rhai dyddia. . .

ydach chi'n bwyta'n iawn?"

Nodiodd hithau.

"Hyd y gwela i, yr hyn sydd ei angen arnoch chi i ddechrau ydi sbelan dda o gwsg. Cymrwch chi'r rhain ar ôl i mi fynd, ewch i'ch gwely ac arhoswch yno. Iawn?"

"Iawn."

"Mi fydd Delyth o fan'cw yn rhoi caniad i chi tua wyth bora fory, i weld eich bod chi'n iawn, ac i gadarnhau eich bod chi'n rhydd i 'ngweld i. Mi fydda i ar gael tua'r un ar ddeg 'ma. Mi gawn ni'n dau siarad yr adeg honno. Iawn?"

"Iawn."

A dyna fu. Roedd wedi cael noson dda o gwsg, ac roedd wedi deffro ychydig funudau yn unig cyn i ysgrifenyddes y Doctor roi caniad iddi.

Roedd wedi rhedeg bàth poeth iddi'i hun ac wrth suddo i'r dŵr roedd yr un hen deimladau wedi dod heibio i'w gorchfygu. Hi oedd llofrudd ei merch. Oni bai amdani hi, fe fyddai Lara'n fyw heddiw. Petai hi, Elsie, ddim ond wedi. . . ac roedd yr un hen deimladau yna o euogrwydd oedd wedi brigo mor aml yn ystod y dyddiau diwethaf yn ei goddiweddyd unwaith eto.

Un peth yr oedd hi wedi ei benderfynu. Roedd rhaid iddi ddweud wrth rywun. Roedd hi eisiau cyfaddef.

Gwenodd y ferch arni wrth iddi egluro fod ganddi drefniant i weld Dr Baker.

"Steddwch am funud, mi ddyweda i wrth y Doctor eich bod chi wedi cyrraedd. . ."

Eisteddodd Elsie yn un o'r cadeiriau esmwyth, ac wedi ychydig funudau o syllu a sylwi ar chwaeth ddiamheuol Dr Baker am ddodrefn a charpedi, estynnodd gylchgrawn o'r pentwr oedd ar y bwrdd o'i blaen. Doedd ganddi ddim diddordeb mewn gwirionedd mewn gweld ceginau a stafelloedd sgleiniog sêr y sgrin a'r ffilmiau, a rhyw droi'r tudalennau yn otomatig wnâi. Roedd ei meddwl wedi crwydro'n ôl i Gaerdydd ac at Lara.

Roedd hi wedi ail-fyw ei hymweliad â'i merch olygfa wrth olygfa, gair am air. Roedd hi'n chwilio am ryw gliw, am ryw arwydd bychan fedrai Lara fod wedi'i roi iddi nad oedd popeth yn iawn.

Roedd hi'n byw mewn fflat grand iawn, ac yn amlwg yn ennill arian da. Cronnodd y dagrau ar unwaith pan gofiai Elsie Roberts am y papurau'n disgrifio Lara fel hwran. . . Gweithio i gwmnïau cysylltiadau cyhoeddus – dyna ddywedodd hi wrth Elsie.

"Mrs Roberts?"

Roedd meddwl Elsie ymhell. Ailadroddodd y ferch ei henw.

"Mrs Roberts? Mae Dr Baker yn barod amdanach chi."

Gwenodd yn ddel arni unwaith eto. Gwenodd Elsie yn ôl arni hithau cyn camu at ddrws ystafell Dr Baker.

Dyn bychan, trwsiadus oedd Dr Baker gyda phen moel a sbectol ddu drwchus, anferthol yn gorffwys ar flaen ei drwyn. Edrychai yntau drosti'n aml gan afael ym mraich chwith y sbectol i'w dal rhag llithro oddi ar ei drwyn.

Sbectol aur denau ddylai fod ganddo, meddyliai Elsie Roberts; yn wir, dyna'r peth cyntaf a ddeuai i'w meddwl bob tro y gwelai'r doctor bach.

"Steddwch, Elsie."

Roedd gwên y doctor fel un y ferch wrth y cownter, yn llydan a chroesawgar.

Suddodd Elsie i'r gadair ledr a cheisiodd ymlacio.

"Gysgoch chi'n weddol?"

"Do. . . diolch. Mi weithiodd y pils."

Bu Dr Baker yn dawel am eiliad. Eisteddodd y tu ôl i'w ddesg, ac wedi craffu am ennyd ar ffeil Elsie Roberts oedd o'i flaen, tynnodd ei sbectol a'i gosod yn ofalus ar y ddesg.

"Mi rydach chi wedi cael ychydig o ddyddiau anodd iawn. . ."

Llyncodd Elsie ei phoer.

"Ofnadwy. . . uffernol."

"Ydach chi a Cadwaladr wedi siarad. . . wedi trafod hyn hefo'ch gilydd?"

Ysgydwodd ei phen.

"Ydach chi wedi siarad hefo rhywun? Ffrind neu berthynas?"

Ysgydwodd ei phen drachefn.

"Ydach chi isho siarad?"

Edrychodd Elsie Roberts i fyw llygaid y doctor, a dyna pryd y dechreuodd y dagrau lifo. Roedd hi wastad wedi meddwl amdani'i hun fel un allai cadw cow ar ei theimladau, ond am yr ail waith mewn deuddydd roedd hi wedi methu yng nghwmni Dr Baker.

Ymhen ychydig, gafaelodd yn ei hances a sychu'i llygaid a chwythu'i thrwyn. Edrychodd ar y doctor. Roedd gwên wahanol ar ei wyneb.

"Dyna pam ydw i yma," meddai'n dyner.

*   *   *

Roedd Sami wedi cael dwyawr brysur. Erbyn iddo gyrraedd y brifddinas, roedd Cooper wedi ffonio ac wedi cael addewid o gydweithrediad llawn gan y Prif Arolygydd Howard. Cafodd yntau weld yr adroddiadau oll.

Hyd y gwelai Sami, roedd gan yr heddlu ddwy neu dair damcaniaeth.

Roedd y gynta'n eu cyfeirio i Westy Saunders ble gwelwyd Lara ddiwethaf. Roedd dyn tacsi yn cofio ei gollwng yn ymyl y gwesty yn gynnar y noson y lladdwyd hi. Fedrai o ddim dweud yn bendant ai mynd i'r gwesty oedd hi ai peidio. Doedd neb o staff y gwesty yn ei chofio yno y noson honno o gwbl. Roedd yr heddlu'n mynd i gael rhestr o westeion oedd yn aros yno y noson honno ac yn bwriadu cysylltu â nhw rhag ofn eu bod nhw wedi'i gweld.

Yr ail ddamcaniaeth oedd yr un yr oedden nhw'n ei dilyn drylwyraf. Wrth holi amryw o genod y stryd a'r asiantaethau escort, daethai'n amlwg nad oedd y mwyafrif ohonynt yn hoffi Lara. Ymddangosai mai cenfigen oedd y rheswm am hynny. Lara oedd yr un a weithiai amlaf. Roedd hi allan bron bob nos, a hi fyddai'n cael y cynnig cyntaf ar y cleients gorau. Y rhain fyddai'n rhoi'r cil-dwrn mwyaf, a gallai hwnnw fod yn gymaint â chan punt y noson.

Roedd dwy ferch wedi tystio i bethau fynd yn ffradach un noson mewn parti a drefnwyd gan Deledu Lloeren Cymru. Roedd Lara a merch arall wedi mynd i ymladd. Ond er i'r heddlu holi a stilio, methwyd canfod pwy oedd yn ei chyflogi nac i ba asiantaethau yr oedd yn gweithio. Roedd yr enw "Mo" yn ym-ddangos mewn un neu ddau o'r datganiadau, ond doedd gan yr heddlu ddim syniad o gwbl pwy oedd o neu hi. Roedden nhw wedi holi un gŵr o'r enw Rici Rhisiart. Roedd Lara wedi bod yn cyd-fyw ag o am gyfnod, rai blynyddoedd ynghynt, ond doedd o, yn ôl ei dystiolaeth, heb ei gweld ers misoedd lawer.

Roedd Sami wedi gwneud nodiadau manwl yn Swyddfa'r Heddlu, ac newydd ddarllen y cwbl dros y ffôn i Cooper.

"Aros i lawr yna am ddiwrnod neu ddau, Sami," meddai Cooper. "Wyt ti wedi gweld Eleias o gwbl?"

"Naddo, ond mae o wedi bod yn holi rhai o'r hogia sydd ar y ces."

"Dos i'r gwesty yna yn Cathedral Road. Be oedd ei enw fo hefyd? Harpers? Tynna lun o'r rejister y noson y lladdwyd Lara, a hola'r perchennog am Eleias rhag ofn ei fod o'n cofio rhywbeth, a dangos lun ohoni iddo fo hefyd."

"Iawn." Roedd Sami'n sgwennu fel fflamia.

"Be am y plodars lleol? Be ti'n feddwl o'u gwaith nhw?"

"Mae 'na ddeg ar y ces yn llawn amsar. Tasach chi

wedi'u trênio nhw, mi fasa dau yn ddigon!"

Gallai Sami deimlo Cooper yn gwenu dros y ffôn.

"Mae Howard wedi gwneud datganiad hefyd fod y Ffederals ar y ces. . ."

"Pam uffar wnaeth o hynny?"

"Dim syniad. Rhaid ei fod o'n rhedeg allan o bethau newydd i'w deud."

"Shit! Mi fydd hynna'n rhybuddio Eleias. . ."

"Ydach chi isho i mi gael gair hefo Howard? Ella nad ydi hi'n rhy hwyr i wadu hynny – dal y papurau ac ella'r teledu a'r radio cyn chwech?"

Bu distawrwydd am ennyd y pen arall i'r ffôn.

"Na, gad iddo fo. Wedi meddwl, os oes a wnelo Eleias rywbeth â hyn oll, mi allai gwybod ein bod ni ar ei ôl o fod yn ddigon i'w daflu oddi ar ei echel."

*　*　*

Aeth Tecwyn yn ei ôl i'r gwesty, gorweddodd ar ei wely, a meddwl am Lara.

Rai dyddiau ar ôl iddo'i gweld, roedd wedi ffonio'r Saunders rhag ofn ei bod yn dal yno, ond doedd neb yn ei chofio. Fedrai o, fodd bynnag, ddim cael yr hogan o'i gof. Roedd yn syllu i ddyfnder y llygaid yna unwaith eto. Yn anwesu'r llywethau aur, yn gwrando ar ei stori, yn sibrwd ei henw. "Lara. . .! Lara. . .!" Cofio'r chwerw, cofio'r melys ac ail-fyw'r wefr. Cofio'r wefr. Roedd y cofio'n ddigon. Roedd Lara'n fyw! Llowciodd wisgi mawr. Roedd cofio'n cyffroi'r emosiwn.

*　*　*

Roedd bom Tryweryn yn llenwi'r newyddion y noson honno hefyd, a'r dyfalu wedi dechrau beth fyddai targed nesaf y Meibion. Roedd rhai yn ofni pontydd yr Hafren, neu hyd yn oed frenin newydd Lloegr.

Roedd y Bala'n dal yn wag, ac fe fyddai'n debygol o fod felly am rai dyddiau. Roedd y perygl mwyaf drosodd, a'r cronlyn yn cael ei wagio'n gyflym. Byddai'r gwaith o atgyweirio'r argae yn debygol o gymryd blwyddyn.

Gan nad oedd gan Tecwyn obaith o fynd yn ôl i'r offis na'r fflat am rai dyddiau, fe benderfynodd aros i chwilio a chwalu ychwaneg yng Nghaerdydd.

Roedd o eisoes wedi ceisio holi rhai o'r heddlu oedd ar y ces, ac er iddo gymryd arno fod yn riportar teledu, choeliodd y diawlad mohono. Damia! Rhaid ei fod yn colli'i dwtsh.

Arhosodd y tu allan i dŷ Gwenfron am ddiwrnod cyfan drannoeth, ond chododd hi mo'i hadenydd. Bu'n gaeth i'w chartref drwy'r dydd.

Yn y papur y noson honno roedd 'chwaneg am y stori. Roedd Lara Roberts wedi ei thagu i farwolaeth cyn iddi gael ei thaflu i'r doc. Roedd y Polîs Ffederal wedi cael eu galw i mewn gan yr heddlu lleol i holi ymhellach i'w llofruddiaeth.

Y Polîs Ffederal! Roedd Tecwyn yn methu deall pam. Beth oedd y cysylltiad?

Wedi darllen y papur, ffoniodd Tecwyn ar ei union i Blas yr Ynys, a chadarnhaodd Cadwaladr Roberts stori'r llofruddiaeth. Soniodd Tecwyn wrtho ei fod ar drywydd symudiadau olaf Lara, ond y gallai dyfodiad y Ffederals lesteirio rhyw gymaint ar ei ymchwiliadau.

"Beth wyt ti'n feddwl, llesteirio?"

"Os gân nhw sniff fod yna dditectif preifat ar y ces, ac os ffendian nhw allan mai fi ydi o, mi fyddwch chi a finna dan amheuaeth yn syth."

"Ti 'rioed yn dweud wrtha i fod gen ti record?"

"Nid matar o hynny ydi o. Dwi'n gwybod sut mae pennaeth y Ffederals yn gweithio. Mi fuodd o a fi yn cydweithio ar un adeg."

Ac yno y gadawodd Tecwyn hi. Ddaru o ddim ceisio egluro i Cadwaladr Roberts am ei berthynas helbulus â Cooper, na'r ffaith iddo fod yn y ddalfa yn ystod y deuddydd a aeth heibio. Addawodd gysylltu ag ef eto ymhen rhyw dridiau.

Roedd Tecwyn wedi synhwyro fod Gwenfron yn amau ac yn ofni mai cael ei llofruddio a gawsai Lara. Dyna pam yr oedd hi wedi dychryn cymaint, efallai? Doedd ond un ffordd o wybod y gwir. Rhaid oedd iddo ddychwelyd yno.

Er ei bod yn ymddangos yn llawer mwy nerfus y tro hwn, cafodd Tecwyn fynediad i'r tŷ yn syth. Gyda'i fod wedi eistedd, dechreuodd ei holi.

"Welaist ti'r papur heddiw?"

"Naddo."

"Mi gafodd Lara ei lladd cyn cael ei thaflu i'r dociau."

"Blydi pyrfyrts!"

"Mi gafodd ei thagu. . ."

"Peidiwch! Blydi pyrfyrts!!"

Rhoddodd ei dwylo dros ei chlustiau ac agorodd y fflodiart. Roedd hi'n wylo'n hidl i glustog y soffa.

Gwelodd Tecwyn ei gyfle. Daethai'n amser i chwarae'r Samariad Trugarog ac i symud ymlaen gyda'i ymholiadau.

"Gymri di banad? Ga i wneud panad i ti?"

Ar waethaf popeth, roedd Gwenfron yn dechrau cymryd at Tecwyn Eleias. Roedd yna rywbeth yn wahanol ynddo. Roedd o'n medru cyfleu'r agwedd ei fod yn poeni amdani. Mae'n wir mai fo a wnaeth iddi ypsetio'i hun, ond fe wyddai bod yn rhaid iddi wynebu hyn, a'r ffordd gyntaf i wneud hynny oedd cydnabod marwolaeth Lara. Nage! Cydnabod llofruddiaeth Lara.

Nodiodd ei phen ar Tecwyn.

Aeth yntau i'r gegin a rhoi'r tegell ymlaen. Aeth yn ei ôl i sbecian drwy'r crac yn nrws y lolfa. Roedd hi'n dal i wylo. Agorodd geg y ffôn oedd yn y gegin, a glynu byg bychan wrth y glust.

Fuodd o ddim chwinciad yn gwneud y coffi, ac uwchben y banad mi driodd gario 'mlaen i holi wedyn.

"Oedd ganddi gleient y noson y buodd hi farw?"

"Be?"

Roedd hynna bron yn swnio'n anghrediniol. Roedd meddwl Gwenfron yn rasio'n wyllt. Faint wyddai hwn? Pwy oedd o? Sut gwyddai o?

"Oedd hi hefo cleient?"

"Dwi ddim yn dallt."

"Wyt ti ddim yn darllen y papur?"

"Celwyddau. Dwi ddim yn gwybod."

"Pwy fasa'n gwybod?"

"Wn i ddim. . . wn i ddim byd. . . rydach chi'n fy nrysu i. . ."

"Rwyt ti ofn dweud."

"Nacdw! Ewch o'ma plîs! DOS O'MA! Gad lonydd imi plîs! Ewch o'ma. Gadwch lonydd i mi!"

Roedd Tecwyn yn argyhoeddedig ei fod wedi gwneud digon i'w dychryn. Roedd ganddo biti drosti, ond os nad oedd yna ffordd arall. . .

Aeth allan o'r tŷ ac yn syth rownd y gornel i wrando yn y car. Bu'n disgwyl bron iawn i chwarter awr cyn iddi godi'r ffôn.

Roedd Gwenfron yn prysur newid ei meddwl am Tecwyn Eleias. Bwli oedd o. Roedd o wedi ei hypsetio. Sut ar wyneb y ddaear y gwyddai o am gleients Lara a hithau? A phwy arall wyddai? Doedd bosib fod Mo neu rywun o Canton Escorts wedi agor ei geg? Roedd un peth yn sicr, roedd yn RHAID iddi siarad â Mo, a hynny ar frys.

Aeth i'r gegin a chododd dderbynnydd y ffôn. Clywodd rywun yn codi'r derbynnydd yn y pen arall.

"Mo! Ga i siarad hefo Mo. . . plîs, Gwenfron sydd yma."

Bu saib y pen arall.

"Helô?"

"Mo?"

"Be sy mater?"

"Lara."

Dechreuodd Gwenfron wylo pan ddywedodd ei henw. Wyddai hi ddim pam, ond ni fedrai ei hatal ei hun.

"Be amdani?"

"Mi fuodd 'na ddyn yma."

"Dyn?"

"Ditectif, roedd o'n holi lot o gwestiynau."

"Dwi wedi deud wrthat ti be i'w ddeud, a be i beidio'i ddeud, yn do?"

"Do. . . ond nid plisman go iawn oedd hwn."

"Be oedd ei enw fo? Gest ti ei enw fo?"

"Tecwyn rhywbeth ac mae o'n amau rhywbeth. . . dwi'n sicr ei fod o'n amau rhywbeth."

"Gwenfron! Cŵlia hi! Rŵan, reit? Gweithia tan ddydd Gwener, ac mi gei di fynd am wsnos o wylia wedyn. . . yn yr haul. . . dros y dŵr yn bell i rywla – iawn?"

"Iawn."

"Yli, os na fydd hi'n emyrjynsi, gei di beidio gweithio heno, OK?"

"Iawn."

Doedd Tecwyn ddim yn deall yn iawn beth oedd yn digwydd, ond mi roedd ganddo syniad gweddol erbyn hyn. Tybed fedrai o fynd yn ôl i mewn i dŷ Gwenfron? Un tamaid arall o waith ditectif ac mi fyddai rywfaint yn nes at ddarganfod cyflogwr Lara. Aeth yn ei ôl, a phwyso botwm y gloch.

"O, chi sydd yna?"

Roedd Gwenfron wedi dod ati'i hun erbyn hyn ac yn fwy siriol.

"Mi anghofiais i ddweud un peth. Peth go bwysig. . . mi ddyliwn i fod wedi dweud hynny reit ar y dechrau. . . ga i ddod i mewn eto? Jyst am funud bach."

"Iawn."

Pam ar wyneb y ddaear y dywedodd hi hynna, wyddai hi ddim. Wedi iddo eistedd, eisteddodd hithau gyferbyn ag ef.

"Wel?"

"Mi fûm i a Lara yng nghwmni ein gilydd am un noson; roedd hynny rhyw ddwy neu dair blynedd yn ôl. Oedd hi'n byw yma bryd hynny?"

"Rhyw ddwy flynedd sydd ers pan 'dan ni yn fa'ma."

"Lle roedd hi'n byw cyn hynny?"

"Hefo rhyw foi."

Roedd Tecwyn yn teimlo ei bod yn bryd gwthio i'r dwfn unwaith eto.

"Fe soniodd Lara wrtha i un tro am foi. Mo neu rywbeth oedd ei enw fo. Ydi'r enw yn golygu rhywbeth iti?"

Am un eiliad, ofnai Tecwyn iddo fynd yn rhy bell. Gwridodd Gwenfron a gwelwodd, cododd ar ei thraed ac anelu'n syth am y bathrwm.

Aeth Tecwyn ar ei union i'r gegin. Fe'i clywai'n chwydu. Gwasgodd y botwm ailddeialu ar y ffôn. Ymhen rhai eiliadau, atebwyd y ffôn gan lais benywaidd.

"*Canton Escorts?*"

"*Sorry. What is your number?*"

"*763 554 897. . . Canton Escorts.*"

"*I'm sorry. I have the wrong number.*"

Teimlai Gwenfron yn rêl ffŵl. Ond roedd cwestiwn Tecwyn wedi'i thaflu'n llwyr oddi ar ei hechel. Roedd hi'n amau fod hwn yn gwybod llawer mwy nag oedd o'n ei ddweud. Roedd un peth yn sicr, doedd hi ddim yn gwybod sut i ymddiheuro iddo.

Roedd Tecwyn wedi nodi'r rhif, ac wedi estyn diod o ddŵr ac eistedd cyn i Gwenfron ddychwelyd. Roedd hi'n welw.

"Wyt ti'n iawn?"

Nodiodd arno a gwenu'n wan.

"Mae'n wir ddrwg gen i. Mae yna gymaint o bethau wedi digwydd. . . dw inna wedi ypsetio."

"Paid â phoeni. Dwi'n dallt, 'sti."

Gwenodd Tecwyn arni, ac estyn y gwydraid dŵr iddi. Yfodd hithau ei hanner ar un llwnc. Gallai deimlo'r dŵr oer yn taro pwll ei stumog. Pan gododd ei phen roedd Tecwyn yn eistedd unwaith eto gyferbyn â hi a'i wên yn un llydan.

"Well?"

"Yndw, diolch."

"Mo?"

"Golygu dim i mi, soniodd hi ddim gair wrtha i amdano."

Gwyddai Tecwyn y gallai wthio rhagor, ond nid dyma'r lle, na'r amser. Roedd ganddo gynllun yn dechrau ffurfio yn ei ben.

*   *   *

Roedd Elsie Roberts yn teimlo'n well.

Roedd hi wedi cael bwrw'i bol go iawn er bod hynny wedi golygu treulio awr ddigon anodd yng nghwmni Dr Baker.

Roedd wedi egluro'n llawn iddo natur ei pherthynas,

neu ei diffyg perthynas, â'i gŵr, ac wedi sôn yn fanwl iawn am ei hymweliad â Chaerdydd ychydig ddyddiau cyn marwolaeth Lara. Soniodd wrtho am y parsel a gawsai gan Lara ac am ei hofn a'i heuogrwydd.

Roedd y doctor wedi'i holi'n dwll, ac roedd hithau wedi ateb ei gwestiynau mor onest ag y gallai. Pob un. Pob un ond un. Pan ddechreuodd y doctor ei holi am ei pherthynas hi â'i gŵr doedd hi ddim wedi datgelu mwy iddo na'r ffaith nad oedd y ddau ohonyn nhw'n cyd-gysgu ers rhai blynyddoedd. Roedd o wedi holi a oedd hi wedi cael perthynas y tu allan i'w phriodas, ac roedd hithau wedi ateb nad oedd.

Pan ofynnodd am ei ffordd o ddiwallu ei hanghenion rhywiol naturiol, roedd hi wedi rhuthro i ateb nad oedd hi ers amser yn teimlo unrhyw awydd i wneud hynny.

Doedd hynny ddim yn gwbl wir, ond mater cwbl bersonol iddi hi oedd yr hyn a wnâi â'i chorff ei hun. Doedd o'n ddim busnes i un dyn byw arall, ac yn sicr ddim i Dr Baker.

Wrth gau drws ystafell y doctor ar ei hôl, roedd Elsie'n teimlo'n well. Roedd y doctor wedi pwysleisio'r pethau positif, ac roedd hithau i ddychwelyd ato drannoeth gyda pharsel Lara. Roedd hi'n mynd i'w agor yng ngŵydd y doctor, ac yn mynd i drafod ei gynnwys gydag o. Doedd o ddim wedi sôn dim oll am natur ei hanhwylder na'r modd yr oedd o am ei thrin. Roedd o eisiau iddi ddod i'w weld yn ddyddiol rhyw dair neu bedair gwaith cyn penderfynu hynny.

Doedd Dr Baker, fodd bynnag, ddim yn rhannu

teimladau Elsie Roberts am ei chyflwr ei hun.

Roedd o'n ymwybodol ei bod hi yng nghrafangau'r broses gynharaf o alaru am ei merch, ac fe wyddai fod gwahanol bobl yn ymateb yn wahanol i brofedigaethau o'r fath. Ond roedd yna rywbeth yn wahanol yn Elsie Roberts. Roedd yna rywbeth y tu hwnt i'r brofedigaeth yn ei phoeni, ac os na fedrai weld rhyw fath o welliant yng nghyflwr ei meddwl dros yr ychydig ddyddiau nesaf, roedd o eisoes wedi penderfynu mai treulio cyfnod mewn ysbyty fyddai orau iddi.

* * *

Wedi gadael Gwenfron, aeth Tecwyn yn syth i Heol y Gadeirlan i nôl ei baciau. Oddi yno aeth i Westy Saunders, a bwcio stafell yno o dan enw arall.

Wrth lownjo ar ei wely yno, aeth drwy'r llyfr ffôn digidol. Doedd Canton Escorts ddim wedi ei restru. Doedd hynny ddim yn sioc. Cododd y ffôn a deialu'r rhif a gawsai yn nhŷ Gwenfron.

"*Canton Escorts?*"

"Mo, plîs?"

Bu saib.

"Helô?"

"Mo?"

"Ie."

"Gareth Lewis o Gaernarfon. Mi ges i eich rhif chi gan hen. . . ffrind. Dwi i lawr yma am ddeuddydd ar fusnes, ac yn chwilio am gwmpeini heno."

"Iawn, Mr Lewis. Yn lle 'dach chi'n aros?"

"Y Saunders."

"A fanno rydach chi rŵan ?"

"Ia."

"Pa stafell?"

"Chwech un saith."

"Ga i eich ffonio chi'n ôl?"

"Â chroeso."

Roedd o'n ddyn gofalus iawn. Ymhen ychydig funudau, canodd y ffôn. Roedd Mo yn ymddiheurol.

"Mae'n ddrwg gen i am hynna, ond rydan ninnau'n gorfod bod yn ofalus, 'chi."

"Popeth yn iawn."

"Mae gynnon ni ddewis o escorts, wrth gwrs."

"Unrhyw Gymraes, os yn bosib, gwallt du, corff bychan, siapus, 'dach chi'n gwybod?"

"Mae gen i'r union un i chi. Gwenfron, hogan o Glwyd. Cymraes hefyd. Fe wyddoch y gost?"

"Dim llawer o ots am hwnnw."

"Pumcant fflat, dim sieciau. Talu'r escort ar y noson mewn arian."

"Iawn, dim problem. Gawn ni ddweud wyth o'r gloch?"

"Gadwch o hefo fi."

"Diolch."

Wedi rhoi derbynnydd y ffôn yn ôl yn ei grud, troes Tecwyn ar ei gefn ar y gwely a syllu ar y nenfwd. A dyna'r hoelen fach yna wedi cael waldan go solat ar ei phen. Dim ond gobeithio mai cael ei siocio i siarad wnâi Gwenfron.

Aeth ias drwyddo pan sylweddolodd yn sydyn mai dyma beth oedd Lara wedi ei wneud am y ddwy flynedd ddiwethaf. Disgwyl galwad. Dynion diarth. Dynion gwahanol bob nos. Gallai ddychmygu ei gwallt melyn ar y gobennydd glas. Sawl dyn arall welodd hwnnw, tybed? Sawl un fu'n ei hanwesu? Yn ei chusanu? Degau? Cannoedd? Pwy, tybed, welodd y gwallt melyn y noson honno? Y noson olaf honno? Ai hwnnw a'i tagodd hi? Pwy oedd yn gwybod? Canton Escorts? Mo?

Bu'n hel meddyliau morbid am hanner awr. Clywodd gnoc ar y drws a llais Gwenfron yn galw.

"Mr Lewis?"

"Dowch i mewn!"

Cuddiodd Tecwyn y tu ôl i ddrws y gawod. Roedd Gwenfron yn llawn hyder.

"Mr Lewis? Gareth? Canton Esco. . ."

"Sut mae? Gwenfron. . ."

Fe gollodd arni'i hun yn lân. Dechreuodd grio. Crio a chrio. Gafaelodd Tecwyn ynddi'n dyner a'i harwain at y gwely. Rhoes hi i orwedd yno. Gadawodd iddi am rai munudau. Wedi i'r nadu beidio, estynnodd frandi iddi.

"Llynca hwn. . . mi fyddi di'n teimlo'n well wedyn."

Roedd yna elfen o garedigrwydd yn ei lais. Bron na theimlai Gwenfron fod yna dinc o ymddiheuriad ynddo. O leia, doedd dim pwrpas iddi geisio gwadu dim oll bellach.

"Sut daethoch chi i wybod?"

"Dyna 'ngwaith i."

"Roeddach chi'n gwybod trwy'r amser?"

"Doeddwn i ddim yn siŵr. Ddim tan y prynhawn yma."

"Mi lladdith o fi."

"Pwy?"

Fel pe bai'n hanner difaru iddi agor ei cheg, brathodd ei gwefus. Wnaeth Tecwyn ddim dilyn y trywydd hwnnw'n rhy galed. Roedd o'n gwybod ei bod wedi cael eitha sioc yn barod. Adeiladu ei hyder oedd ei angen rŵan.

"Does yna neb yn mynd i wneud dim byd i ti."

"Pan ffendith o."

"Fydd o, na neb arall, fyth yn gwybod."

"Ond dwi fod i roi tri chant mewn arian iddo fo am bob. . ."

". . . cleient?"

"Ia."

"A Mo ydi hwn?"

"Ia."

"Mi gei di bres gen i, 'run fath."

"Ond. . . ?"

"Yli, mae gen i gleient sy'n fodlon talu unrhyw beth. Mi fydd yn werth bob dimau. . . y. . . y. . . wybodaeth dwi'n feddwl!"

Gwenodd Gwenfron. Sychodd ei dagrau â chledr ei llaw. Llyncodd weddill ei diod ac edrychodd ar ei llun yn y drych. Roedd hi'n edrych yn uffernol. Ei mascara wedi rhedeg hyd ei hwyneb. Fel pe bai'n darllen ei meddwl, gwenodd Tecwyn arni.

"Dos i'r stafell molchi am funud. Dyro ychydig o

ddŵr dros dy wynab. Mi estynna i ddiod arall i ni."

Daeth yn ei hôl toc. Roedd wedi golchi'r colur oddi ar ei hwyneb, ac edrychai'n llawer gwell.

"Dyna welliant! Cael gwared o'r paent yna dwi'n feddwl!"

"Does gen i ddim byd hefo fi. Dwi ddim yn cario pethau yn fy mag."

"Dwyt ti ddim isho fo, siŵr Dduw! Ti'n edrych yn llawer gwell heb y sglyfath peth!"

Gwenodd Gwenfron arno. Oedd, mi roedd o'n llawer hŷn na hi, ond eto roedd o'n ddyn golygus, ac roedd yna gadernid yna. Roedd yna rywbeth hoffus o dan y caledwch. Roedd ei wên o'n dweud llawer.

"Pwy ydi Mo?"

"Mo Tarrant. Y fo sy'n rhedag Canton Escorts. Mae yna dros ddeunaw o genod a deuddeg o hogia. Tair ohonan ni'n Gymry Cymraeg, dwy rŵan. . ."

"Oedd Lara'n gweithio i Canton Escorts?"

"Oedd."

"Oedd hi hefo rhywun y noson lladdwyd hi?"

"Oedd."

"Ti'n gwybod pwy?"

"Na. Dim ond ei fod o'n rhywun sbeshal. Rhywun oedd yn iwshio Mo am y tro cyntaf. Dyn pwysig iawn, dyna ddeudodd Mo wrthi. A rŵan. . ."

Dechreuodd wylo drachefn. Go damia'r hogan! Roedd Tecwyn yn dechrau colli'i amynedd. Pam na fedra hi jyst dweud y cyfan wrtho yn lle ei fod o'n gorfod tynnu pob darn o wybodaeth ohoni? Meiriolodd yn sydyn. Roedd o'n annheg â hi. Roedd hi wedi cael dipyn o sgeg.

"A rŵan. . . ?"

". . . rŵan mae'r genod i gyd ofn. . . ofn y bydd un ohonon ni'n cael y cleient yna'r tro nesa. Ofn be fedar o 'i wneud i ni. Be mae o isho i ni'i wneud. Be driodd o 'i wneud i Lara. Pam uffar y lladdodd o hi. . ."

Dechreuodd wylo drachefn. Gadawodd Tecwyn iddi am ychydig. Aeth i eistedd ati, a rhoi ei fraich amdani. Roedd hi'n gynnes, a'i chorff yn ysgwyd dan angerdd ei theimladau.

"Lle mae swyddfa Canton Escorts?"

"Fflat Mo, am wn i; dydan ni ddim yn gwybod. Dim ond rhif ffôn sydd gen i. . . dyna'r unig gysylltiad sydd i fod."

"Ydi'r polîs yn gwybod rhywbeth am hyn?"

"Dim byd. Fe fuon nhw'n holi, ond nid fel chi, doeddan nhw ddim i weld yn dangos llawer o ddiddordeb. . . ond does dim isho poeni am y polîs, medda Mo."

Roedd hi wedi ffendio nyth glyd ac yn swatio ar ei frest. Roedd ei law yntau'n anwesu'i harlais a'i hwyneb, ac yn ara bach yn sychu'r dagrau.

"Mae'n bryd i ti ddechrau galw fi'n 'ti' yn lle'r 'chi' gwirion yna!"

Gwyddai Tecwyn heb edrych arni ei bod yn gwenu. Gallai deimlo cyhyrau'i hwyneb yn symud. Wedi ychydig o amser, ailddechreuodd holi.

"Be wyddost ti am Rici Rhisiart?"

"Mi fuodd Lara'n byw hefo fo am ryw flwyddyn, cyn

iddi gyfarfod Mo."

"Sut ddaru hi ei gyfarfod o?"

" 'Run fath â phawb arall. Yn un o bartis Rici. Fan'no y gwelais innau o gynta. Mae o a Rici yn ffrindia."

Gorffennodd ei diod.

"Sut ddyn ydi Mo?"

"Basdad cas!"

"O ran pryd a gwedd oeddwn i'n feddwl."

"Boi tal, main. Pen moel, mwstas du, trwchus. Siwt werdd y rhan fwya o'r amser."

"Oes gen ti ei ofn o?"

Nodiodd.

"Glywaist ti unrhyw un ohonyn nhw'n sôn am y Meibion?"

"Meibion? Mo? Do, unwaith, mi ddaru o ddweud rhywbeth mewn rhyw barti, ond mi aeth Rici a fo allan."

"Wyt ti'n cofio be ddeudodd o?"

"Dwi ddim yn cofio'n iawn. Rhywbeth am Rici yn un o'i feibion, ond yn ôl Lara, un o Glwyd ydi Rici, ac o Bontypridd mae Mo yn dŵad. Eniwe, os ydi o'n dad iddo fo, mae'n rhaid ei fod o'n dad ifanc iawn!"

Doedd gan Tecwyn ddim amheuaeth bellach. Doedd Rici ddim yn fab i Mo, wrth reswm, ond roedd hi'n debygol iawn ei fod yn un o'r Meibion. Roedd hynny'n fater gwahanol, ac yn taflu goleuni newydd ar bethau. Gwenfron darfodd ar rediad ei feddwl.

"Be 'dach chi. . . be wyt ti isho'i wneud heno?"

"Mi gawn ni bryd o fwyd yma, yn y stafell yma, os

ydi hynny'n iawn gen ti? Mi ordra i botel o win hefo fo."

Gwenodd Gwenfron. Wyddai hi ddim pam, ond roedd hi eisiau gwenu arno. Efallai am ei fod yntau'n hanner crychu'i geg a gwenu'n ôl arni bob tro. Roedd hithau'n teimlo'n saff yn ei gwmni.

Mwynhaodd Tecwyn ei hun yn fawr. Roedd yn bryd gwerth chweil, ac ar ôl iddi ddod o'i chragen roedd Gwenfron hithau'n gwmni diddan. Cafodd ddigon o amser i'w holi yn ei hamdden, ac mi ddywedodd y cyfan wrtho. Roedd ganddo ddarlun go lawn o dair blynedd olaf bywyd Lara erbyn diwedd y noson.

Roedd ofn ar Gwenfron. Doedd dim dwywaith am hynny. Roedd ofn Mo arni. Ofn y basa fo'n ffendio ei bod wedi sbragio. Mi geisiodd Tecwyn ei darbwyllo'n wahanol.

Edrychodd yn wirion pan roddodd bum cant iddi. Edrychodd i fyw ei lygaid, ac am eiliad roedd Tecwyn unwaith eto'n edrych i lygaid Lara. Roedd ei llais yn feddal.

"Tydw i ddim fel arfer yn mwynhau hefo cleient, ond mi fedar heno fod yn wahanol."

"Ddim heno, Gwenfron. Rhyw dro eto, ia? Dan amgylchiadau gwahanol, ella? Ond ddim heno."

Dyn meidrol oedd Tecwyn, a fedrai o ddim coelio'i glustiau pan glywodd ei hun yn llefaru'r geiriau yna. Wyddai o ddim a oedd hi'n dallt. Rhoddodd gusan ysgafn iddi, a galw tacsi i fynd â hi adre.

Addawodd ei gyfarfod am goffi drannoeth. Roedd hi wedi sôn am fynd dramor am ychydig ddyddiau, ac yntau wedi sôn am Robin wrthi.

"Mae gen i frawd ym Mhortiwgal, Robin. Mae o'n cadw bar ac yn cadw fusutors."

Rhwng difri a chwarae y soniodd am Robin wrthi, ond gofynnodd iddo roi ei gyfeiriad iddi drannoeth.

Wedi iddi adael, bu Tecwyn yn meddwl yn ddwys, ac yn troi a throsi popeth yn ôl ac ymlaen yn ei ben. Weithiau fe welai bethau'n olau, ond po fwyaf y ceisiai ddatrys marwolaeth Lara, yna ar ei ben i'r gors yr âi. Roedd un peth yn sicr. Roedd allwedd hyn i gyd yn swyddfa Canton Escorts.

Roedd wyneb Lara yn gwmni iddo drwy'r amser. Yn sydyn fe'i trawodd fel mellten. Roedd o mewn cariad â hi! Mewn cariad â Lara? Ar ôl un noson? Chwerthin ddaru o pan ddaeth hynny iddo gyntaf. Ond doedd y chwerthin ddim yn argyhoeddi. Sut ar wyneb y ddaear y medrai fod mewn cariad â chorff? Lwmp o gnawd oer mewn marw-dy! Newidiodd gyfeiriad ei feddwl.

Rhestrodd yn ei feddwl yr holl gwestiynau yr oedd eisiau eu gofyn i Gwenfron drannoeth. Aeth i gysgu; bore fory a deg o'r gloch a ddeuai.

*   *   *

Pan adawodd Westy'r Saunders roedd Gwenfron hithau'n ddwfn yn ei meddyliau. Roedd bod yng nghwmni Tecwyn wedi ysgafnu rywfaint ar lethdod y dyddiau diwethaf, ond roedd yr hen ofn yna'n ddwfn ynddi.

Beth petai Mo yn ei holi am heno? Fedrai hi ddweud

celwydd wrtho? Roedd hi'n dyheu ac yn edrych ymlaen at ei seibiant ddydd Gwener, ond cyn hynny roedd bore fory i ddod. Câi weld Tecwyn. . . Tecs. . . eto fory.

Arhosodd y tacsi gyferbyn â'i chartref ac wedi'i dalu croesodd Gwenfron y stryd a mynd i mewn i'r tŷ. Gwnaeth ddiod iddi'i hun, ac wedi ffonio Mo i ddweud ei bod gartref, aeth i eistedd ar y soffa i'w ddisgwyl. Ymhen deng munud, canodd cloch y drws ffrynt. Mo oedd yno. Roedd o'n neis iawn. Yn rhy neis. Daeth i mewn.

"Gymri di ddiod?"

"Wisgi mawr."

Wedi iddi ddychwelyd gyda'i ddiod, cododd ei wydryn.

"Iechyd da!"

Gwenodd hithau a chodi'i gwydryn ei hun.

"Aeth popeth yn iawn?"

"Do."

"Dalodd o?"

"Do."

Aeth Gwenfron i'w bag ac estyn amlen iddo. Ysgydwodd ei law yn ddiamynedd.

"Cadwa fo. . . a sbia."

Aeth i'w boced a thynnu amlen drwchus ohoni.

"Mae 'na ddwy fil arall yn fan'na. Dos i ffwrdd am bythefnos. I'r haul. Lanzarote, Tenerife. Jyst dos."

Gafaelodd Gwenfron yn yr amlen. Doedd hi erioed wedi cael cymaint o arian yn ei llaw ar un waith.

"Wyt ti'n cofio enw'r ditectif yna?"

"Nac'dw. . . dwi'n meddwl iddo fo ddeud Terwyn neu rywbeth. . ."

"Nid Tecwyn Eleias oedd ei enw fo?"

"Dwi ddim yn meddwl, dwi ddim yn cofio'n iawn. Pam?"

"Paid ti â phoeni dy ben, Gwenfron fach. Mae gynnon ni gontacts go uchel yn yr heddlu, 'sti. Os bydd hwn yn medlo hefo proses yr heddlu o chwilio am bwy bynnag laddodd Lara, mi gân' nhw ddelio hefo fo."

5

CHAFODD TECWYN mo'i siomi. Roedd hi yno am bum munud i ddeg, ac aeth y ddau i lolfa'r gwesty a chael coffi yr un. Roedd hi'n ymddangos yn llawer mwy bodlon ei byd na'r noson cynt, a doedd dim dwywaith nad oedd a wnelo'r ffaith ei bod yn cychwyn pythefnos o wyliau rywbeth â hynny.

"Est ti adre'n iawn?"

"Do, diolch."

"Welaist ti Mo?"

"Mi ddwedodd o wrtha i am gadw'r pres, ac mi roddodd ddwy fil arall imi fynd ar wyliau. Dwi'n mynd heddiw am bythefnos."

"Ble'r ei di?"

Doedd Gwenfron ddim yn hollol siŵr a fyddai Tecwyn yn cofio'i addewid y noson cynt. Doedd yna ond un ffordd o ffendio hynny.

"Portiwgal?"

Gwenodd Tecwyn. Aeth i'w boced ac estyn tamaid o bapur iddi. Ar hwnnw roedd enw a chyfeiriad Robin ei frawd yn Albuferia.

"Fe anfona i deleffacs iddo fo'r bore yma yn dweud dy fod ti ar dy ffordd."

"Tecs!"

Rhoddodd ei llaw ar ei fraich ac edrych i fyw ei

lygaid.

"Fedri di ddim dod?"

Teimlai Tecwyn y gwrid yn codi i'w wyneb. Doedd o ddim wedi disgwyl hyn o gwbl. Wrth gwrs y gallai fynd! Doedd yna ddim oll i'w rwystro. Gallai deleffacsio Cadwaladr Roberts a thaflu llwch i'w lygaid am wythnos o leia. Roedd ganddo ddigon o bres yn llosgi yn ei boced. Mi fuasai'r gwyliau yn gwneud lles iddo, ac yn sicr roedd o'n ffansïo ychydig ddyddiau yng nghwmni Gwenfron.

"Y fi! Na. . . fedra i ddim!"

"Mi fasa hynny'n braf."

Buasai, mi fuasai hynny'n braf. Er ei fod yn boeth, llowciodd y coffi i gyd.

"Mae gen i waith i'w orffen, Gwenfron."

Bu distawrwydd am ennyd. Roedd Gwenfron wedi gobeithio y buasai Tecwyn yn dod gyda hi. Rŵan, mi ddyliai ddweud wrtho yr hyn a ddywedodd Mo neithiwr. Roedd hi'n credu bellach fod Tecwyn mewn perygl.

"Mi gest ti dy enwi gan Mo neithiwr."

"Be?"

"Mi ofynnodd Mo i mi os mai Tecwyn Eleias oedd enw'r ditectif oedd wedi bod yn fy holi i."

"Arglwydd! Sut gwyddai o f'enw i?"

"Ac mi ddeudodd fod ganddo fo gontact go uchel o fewn yr heddlu, ac y buasai hwnnw'n gofalu amdanat ti."

Cododd Tecwyn ei aeliau mewn syndod. Gwenodd arni.

"Peth mawr ydi bod yn enwog, yntê?"

"Bydd yn ofalus, plîs!"

Wyddai Tecwyn ddim pam, ond mi gododd yn sydyn, gwenu arni, rhoi cusan ysgafn iddi ar ei boch a cherdded ymaith. Gwaeddodd hithau ar ei ôl,

"Tecs?"

Troes yntau. Roedd hi'n gwenu ac yn codi'i llaw. Roedd pobl eraill yn edrych arnynt hefyd. Gwenodd Tecwyn a chodi llaw yn ôl arni. Yna gwaeddodd dros y lle,

"Ella weli di fi ymhen rhyw wsnos!"

Cerddodd oddi yno'n gyflym. Go damia fod yn rhaid iddo weithio. Go damia Cadwaladr Roberts. Go damia Lara. Go damia Mo, Rici, Cooper a'r holl ddirgelwch yma. A go damia, roedd ei galon yn curo'n wirion eto.

*   *   *

Roedd Sami wedi bod yn hofran o ddesg i ddesg yn Swyddfa'r Heddlu ers rhai oriau. Roedd o wedi monitro'r adroddiadau fel yr oedden nhw'n dod i mewn, ond doedd dim byd o bwys wedi mynd â'i sylw. Dim, hyd nes iddo weld adroddiad y ddau fu'n cadw llygad ar Gwenfron Pierce, ffrind Lara. Roedd hi wedi cael ymwelydd yn ystod y prynhawn – cyflymodd calon Sami wrth droi at ddalen y ffotograffau. Ie! Tecwyn Eleias! Roedd o yno'n blaen yn siarad â Gwenfron ar garreg ei drws. O'r diwedd roedd yna rywbeth yn digwydd! Darllenodd ymlaen. Roedd hi wedi mynd i stafell yn y Saunders gyda'r nos, wedi aros yno am rai oriau cyn dychwelyd adre. Roedd hi wedi cael ymwelydd arall ryw chwarter awr ar ôl dychwelyd. Doedd y llun ddim yn un clir, ond roedd y pen moel yn amlwg. Yn y bore, roedd hi wedi bod yng nghanol y ddinas ac wedi codi ticed i hedfan i Bortiwgal.

Yr unig symudiad arall ymlaen yn yr holiad oedd ymgais un heddwas i gysylltu â phawb oedd yn aros yn y Saunders y noson y lladdwyd Lara. Pan holodd Sami ef sut oedd pethau'n mynd, ysgydwodd hwnnw ei ben mewn anobaith llwyr.

"Mae yna saith o'r diawlad yn fforenyrs! Faset ti'n lecio trio ffonio swyddfeydd pobol brysur yn Tokyo, Germany, Ffrainc a llefydd anwar felly, a thrio egluro pam y dyliat ti, sy'n blismon bach cyffredin, gael hawl ddwyfol i siarad â'r bòs am bum munud!"

Chwarddodd Sami ac aeth at y peiriant llungopïo. Gwnaeth gopi iddo'i hun o'r ffotograff o Gwenfron a Tecwyn ac aeth ar ei union i'r Saunders. Doedd y ferch oedd yn y dderbynfa'r noson cynt ddim yn dod i mewn am hanner awr arall, felly i basio'r amser, dangosodd Sami ei gerdyn warant i'r Rheolwr a chafodd fynd i swyddfa yn y cefn i astudio'r rejister.

Doedd enw Tecwyn Eleias ddim ynddi. Yr unig enw o'r gogledd oedd un Gareth Lewis o Gaernarfon. Estynnodd y copi o ffotograff Tecwyn a Gwenfron a galwodd ar y Rheolwr.

"Hwn ydi Gareth Lewis?" gofynnodd, gan bwyntio at Tecwyn.

"Mae o'n edrych yn debyg iddo fo. . ."

Cafodd Sami gadarnhad ymhen chwarter awr. Oedd,

roedd y ferch yn y dderbynfa'n cofio Gwenfron yn iawn. Dweud y gwir, roedd hi'n galw yno'n reit aml.

Doedd hi erioed wedi gweld Gareth Lewis tan y prynhawn cynt – pan logodd ei ystafell.

Doedd Sami ddim yn siŵr iawn beth oedd y cysylltiad, ond yn sicr roedd yna ryw ddrwg yn y caws yn rhywle. Dyna pam y penderfynodd ffonio Cooper o'r Saunders.

Wedi egluro iddo yr hyn a ganfu, bu Cooper yn dawel am ennyd. Yna gofynnodd,

"Pam ddiawl ei fod o isho defnyddio enw ffug?"

"Dim syniad. Fasa'n well i mi drio'i ffendio fo a'i ddilyn o?"

"Mi wyddost na fydd hynny'n anodd!"

Gwenodd Sami pan gofiodd am y byg.

"A Sami. . . ?"

"Ia?"

"Jyst rhag ofn, tria ffendio os ddaru Eleias ffonio rhywun o'r Saunders, ddoe neu heddiw."

* * *

Gyda Gwenfron o'r ffordd, bwriad nesaf Tecwyn oedd chwilio am Mo Tarrant – neu, yn hytrach, chwilio am ei fflat, yn y gobaith ei fod yn cadw rhyw fath o ffeiliau ar ei gleients.

Aeth Tecwyn yn ôl yn syth i'w ystafell ac ysgrifennodd grynodeb o'i ymchwiliadau. Anfonodd y cyfan ar deleffacs i Cadwaladr Roberts. Ni roddodd enw Gwenfron iddo, ond fe soniodd am Mo Tarrant, a'i fwriadau nesaf. O leia, roedd wedi cadw at ei air o gadw mewn cysylltiad.

Wedyn, anfonodd deleffacs hefyd at Robin ei frawd yn Albuferia. Fyddai Robin yn cynhyrfu dim o'i dderbyn – roedd wedi hen arfer â gweithrediadau mympwyol ei frawd bach.

Arhosodd yn y Saunders am chwarter awr. Pe bai Cadwaladr Roberts am ateb y teleffacs, roedd hynny'n ddigon o amser iddo wneud, ond ni ddaeth ateb.

Un mêt go iawn oedd gan Tecwyn yn y Ffôrs, a Bob oedd hwnnw. Ffoniodd ei gartref. Ei wraig atebodd y ffôn. Doedd ganddi ddim syniad ymhle roedd Bob, ac nid oedd yn ei ddisgwyl adref tan yn hwyr y prynhawn.

*　　*　　*

Roedd hi'n hanner awr wedi pump pan gafodd Tecwyn afael ar Bob.

"Bob? Tecs."

"Tecs! Be uffar wyt ti isho? A lle wyt ti?"

"Caerdydd. Dwi isho gwybodaeth."

"Pa fath o wybodaeth?"

"Mae gen i rif ffôn. Dwi angen cyfeiriad."

"Iesu! Fedra i ddim. . ."

"Fedri di ddim, neu wnei di ddim?"

"Tipyn o'r ddau, deud y gwir, ma petha wedi newid tipyn bach er pan oeddat ti yma, 'sti. Rydan ni rŵan yn gorfod rhoi rhif cerdyn warant neu'r dyddiad y daw hwnnw i ben, ac yn fwy na hynny, mi fydd copi a chofnod o'r ymholiad yn glanio ar ddesg Cooper ymhen deuddydd am mai fo ydi fy mhennaeth i. Cred ti fi, dydi dy enw di ddim yn perarogli hefo fo y dyddia yma. No wê, Tecs bach. Sori. . ."

"Roi di rif yr *Access Bureau* i mi 'ta?"

"Arglwydd! Tecs!"

"Bob, mae o'n bwysig."

"Iesu, ti'n gwybod ei fod o'n *classified*, mae o'n cael ei newid bob deng niwrnod."

"Jyst y pàs i'w gael o, Bob. Plîs. . . ?"

Bu saib am ennyd. Gallai Tecwyn ddychmygu'r olwynion bach yn troi rownd a rownd ym mhenglog ei gyfaill. Roedd o'n pwyso a mesur pob peth. Yn y diwedd, mi fyddai'n dod i'r casgliad nad oedd y wybodaeth yr oedd ar fin ei rhoi i Tecwyn yn dda i ddim beth bynnag. Fedrai hyd yn oed Tecwyn Eleias ddim blyffio'i ffordd heibio *Control*.

"Dos drwadd i'r *Central Control*. Gofyn am L6. Pan fydd y boi'n gofyn a wyt ti'n siŵr, dywed 6L. . ."

"Pryd gafodd Cooper ddyrchafiad?"

"Be? Pam uffar ti isho gwybod hynny? Be sy 'mlaen gen ti?"

"Jyst pryd, Bob? Pryd gafodd o'i wneud yn Bennaeth y Ffederals?"

"Tachwedd dweutha, pam?"

Chafodd Bob ddim amser i ddweud dim rhagor.

"Diolch, Bob. Hwyl, boi! Mae arna i uffar o ffafr i chdi!"

Gallai Tecwyn ddychmygu'r holl gwestiynau oedd yn gwibio trwy feddwl Bob y funud honno, ond go brin y byddai o'n hir iawn cyn datrys y cyfan! Gallai ei ddychmygu wedyn yn rhyw biffian chwerthin iddo fo'i hun wrth dynnu ar ei getyn. Mi fyddai'r chwerthin yn chwyddo wrth i Bob sylweddoli wedyn enw pwy fyddai'n glanio ar ddesg Cooper.

Aeth Tecwyn drwy *Central Control* yn iawn, ac mi gafodd rif yr *Access Bureau*, ond bu bron iddo fethu.

"Emergency. Emergency."

"Name and number, please?"

"Cooper, B.L. 83645. Urgent request, and before you ask, my card expires in December."

"Can't you use your fax scanner? We really should have a voice print. . ."

Cachu hwch! Wnaeth o ddim disgwyl hyn!

"I'm at a stake-out. The information I require is not classified. I need an AFTN urgently. The number is Cardiff 763 554 897."

Fe weithiodd. Gwenodd Tecwyn. Roedd y cyfeiriad ddwy stryd o fflat Gwenfron.

Pan adawodd y Saunders, a dechrau cerdded, fe wyddai'n syth fod ganddo gynffon. Teimlad oedd o; welodd o neb. Cyflymodd. Greddf oedd y cyfan. Wrth iddo gyflymu, gwyddai fod y gynffon yn dal y tu ôl iddo. Neidiodd i dacsi. Wedi i hwnnw droi cornel, neidiodd ohono, a chymryd tacsi arall i gyfeiriad gwahanol. Wedi gadael hwnnw, cerddodd yn gyflym i lawr un stryd, cyn rhuthro'n wirion i fyny un arall, troi mewn i siop, a chuddio y tu ôl i gwpwrdd. Arhosodd yno am hanner awr. Welodd o neb na dim allan o'r cyffredin. Mentrodd allan. Roedd hi'n dechrau tywyllu.

Cerddodd yn awr i gyfeiriad fflat Gwenfron. Oedd, roedd o'n dal i gael ei ddilyn, ond mae'n rhaid ei fod o'n dda. Yn uffernol o dda. Ond ble roedd o? Galwodd dacsi, ac aeth yn ôl i'r Saunders. Dim ond dwy ffordd oedd o ddilyn dyn mewn dinas. Fe wyddai hynny'n burion ers dyddiau'r Ffôrs. Un ffordd oedd cael hanner dwsin o ddynion, y ffordd arall oedd gosod byg radar ar y targed.

Un ffordd syml o ffendio byg radar yn y Saunders oedd profi eu cell ddiogelwch. Aeth i'w ystafell, a thynnu pob darn o fetel oedd ganddo yn ei bocedi. Tynnodd ei wats, a'i fodrwy. Aeth at y porthor a gofyn am gadw parsel yn y gell ddiogelwch. Dilynodd ef i'r seler.

Amneidiodd arno i gerdded trwy'r ffrâm radar. Fflachiodd golau wrth iddo gerdded trwyddi. Pwysodd y porthor fotwm y sgrin o'i flaen. Craffodd arni.

"Mae gynnoch chi hoelan yn eich esgid," meddai.

"Mi tynna i nhw."

Aeth trwodd yr ail dro yn iawn. Wedi cadw'r parsel, aeth yn ei ôl i'w ystafell.

Tynnodd ei sgidiau, a'u harchwilio. Toedd o ddim mwy na phin bawd bychan – wedi ei wthio i'r sawdl. Cooper oedd yr unig enw ddaeth i'w feddwl. Pwy arall fyddai'n mynd i'r fath drafferth? Ac o nabod Cooper. . . archwiliodd y sgidiau drachefn, a chafodd afael ar un arall, bron iawn o'r golwg y tro hwn, yn yr un sawdl.

Golygai hynny fod gan Cooper o leia ddau ddyn yn ei ddilyn. Mewn car, mwy na thebyg. Gêm ydi gêm, ac os oedd Cooper isho chwarae. . .

I lawr yn y bar, bu Tecwyn yn sgwrsio am ychydig funudau gydag un o'r dynion a weinyddai arno.

"Be ydi seis dy sgidiau di?"

"Naw."

Oedd o eisiau ennill punt neu ddwy am ychydig o waith? Roedd y barman yn fodlon. Wedi'r cwbwl, nid bob dydd yr oedd o'n cael cynnig cant am hanner awr o waith! Sibrydodd yng nghlust ei gyd-weithiwr, ac esgusododd ei hun.

Aeth y ddau ohonynt allan gyda'i gilydd o'r Saunders a galw tacsi. Rhannu hwnnw am yr hanner milltir cyntaf, newid sgidiau, yna wedi troi cornel, fe neidiodd Tecwyn allan, a chuddio mewn ffenest siop.

Doedd dim brys ar ddynion Cooper. Gwelodd Tecwyn nhw'n pasio ychydig amser wedi hynny. Doedden nhw ddim hyd yn oed yn cadw llygad ar y tacsi, roedden nhw mor sicr o anffaeledigrwydd y bygiau. Erbyn hyn, mi fyddai'r barman hefyd wedi gadael y tacsi, a'r gyrrwr yn danfon pâr o sgidiau i orsaf yr heddlu ym Mhontypridd.

Aeth Tecwyn yn syth i gyfeiriad fflat Mo Tarrant. Doedd dim posib mynd yn agos i'r fflat heb i rywun sylwi. Roedd y fflat ar y llawr cyntaf, uwchben siop ddodrefn, a'r unig ddrws fedrai Tecwyn ei ganfod fel mynediad iddi oedd drws o ddur solat gyda weleffon digidol yn sownd ynddo. Roedd golau yn y fflat, ond nid oedd hynny'n arwydd o ddim.

Yna cofiodd. Rhaid bod rhywun yno i dderbyn galwadau ffôn y cleients, a'r merched. Doedd y merched ddim yn gwybod lle'r oedd Mo yn byw, eto roedden nhw'n rhoi'r pres iddo bob nos. Felly os nad oedd Mohammed yn mynd at y mynydd. . .

Aeth Tecwyn i fwyty ar draws y ffordd, ac at y ffôn. Deialodd rif y fflat. Croesodd cysgod ar draws y ffenestr ganol.

"Canton Escorts."

"Sorry, wrong number."

Doedd waeth iddo aros yma ddim. Fe gafodd bryd o fwyd yn y fargen. Awr a deugain munud y bu'n aros cyn sylwi ar y cysgod yn croesi'r ffenestr eto. Rai munudau'n ddiweddarach, sgubodd Corvette melyn newydd rownd y gornel a diflannu i fyny'r stryd. Er ei fod yn teithio ar gyflymder, doedd o ddim yn mynd yn rhy gyflym i Tecwyn weld corun moel a mwstas du.

Talodd am y bwyd, ac aeth allan i'r nos. Roedd hi'n bwrw glaw. Ymhen chwarter awr daeth y Corvette yn ei ôl. Aeth hanner canllath i fyny'r stryd cyn troi i'r chwith. Cerddodd Tecwyn yn gyflym ar ei ôl. Roedd lôn gefn gul yno'n arwain i dywyllwch.

Cerddodd ar hyd y lôn, heibio i resi o gatiau haearn a dorau dur. Diolchodd am y glaw. Roedd olion teiars y Corvette yn glir yn troi i'r chwith eto ar hyd ychydig fetrau o lôn fwdlyd a gwlyb. Arweiniai'r lôn at lidiart agored a drws garej ddwbwl. Er bod ffenestri yn nrysau llydain y garej, doedd dim modd gweld i mewn iddi. Doedd dim modd ychwaith agor y drws o'r tu allan.

Rhaid ei fod yng nghefn y fflat, meddyliodd.

Edrychodd i fyny. Roedd golau i'w weld yn ffenestri'r llawr cyntaf. Gwelodd rywbeth arall a wnaeth iddo oedi. Yn y lled-olau uwchben y ffenestr ganol, roedd golau coch bychan yn fflachio. Roedd gan y bygar bach sganiwr inffra-red! Go brin y medrai o gael mynediad drwy un o'r ffenestri, felly.

Gwyddai mai ei unig siawns oedd gobeithio y câi Mo alwad arall. Chafodd o mo'i siomi. Cwta chwarter awr y bu'n rhaid iddo aros yn y glaw cyn clywed grŵn y peiriant yn agor drysau'r garej. Aeth y Corvette heibio iddo'n gyflym a dechreuodd drws y garej gau. Cyn iddo gau'n llwyr, sleifiodd Tecwyn i mewn iddi.

Roedd hi'n garej anferth – yn wir roedd hi'n debycach i stordy bychan, ac yn y gornel dde roedd grisiau'n arwain i'r llawr cyntaf ac i'r fflat, siŵr o fod. Ar ben y grisiau roedd drws caled, cadarn. Doedd o ddim wedi'i gloi.

Y peth cyntaf welodd Tecwyn oedd cloc mawr, henffasiwn. Dangosai ei fysedd ei bod hi'n bum munud wedi deg. Yr ail beth welodd Tecwyn oedd y corff ar lawr ym mhen draw'r ystafell. Gallai deimlo blew ei wegil yn codi. Roedd ei chweched synnwyr ar waith. Cerddodd at y corff, a phlygu uwch ei ben.

Mo! Os felly, pwy oedd yn gyrru'r car melyn? Synhwyrodd yn sydyn fod rhywun y tu ôl iddo, ond roedd hi'n rhy hwyr. Disgynnodd rhywbeth caled ar ei ben. Aeth yn nos ddu arno.

*   *   *

"Ddaethoch chi â'r pecyn hefo chi?"

Roedd y wên yn llydan o dan y sbectol ddu a Dr Baker yn eistedd yn ei gadair a'i ddwy law ymhleth ar y ddesg o'i flaen.

Oedodd Elsie Roberts am ennyd. Roedd yna lwmp yn ei gwddf ac roedd hi'n methu'n lân â chael ei geiriau allan.

"Do," meddai'n floesg, cyn ymbalfalu ym mhlygion y cwdyn plastig ac estyn parsel bychan a'i osod ar y ddesg.

"Wel?"

"Wel be?"

"Ydach chi am ei agor o?"

"Dwi ddim mor siŵr. . ."

"Roeddwn i'n meddwl ein bod ni wedi cytuno?"

"Ond Lara pia fo. . . ei pharsel personol hi ydi o. . ."

"Mae Lara wedi marw, Mrs Roberts; y chi a'ch gŵr ydi'r perthnasau 'gosa. Fasech chi'n lecio i mi drio cael gafael yn Mr Roberts. . ."

Chafodd o ddim gorffen ei frawddeg.

"Na!" Bron na ddaru hi weiddi'r gair ar ei draws.

"Na," meddai'n dawelach. "Mi agora i o."

Estynnodd y doctor siswrn iddi, ac yn araf a phwyllog torrodd Elsie Roberts y papur llwyd yn ofalus. Y tu mewn i'r papur llwyd roedd bocs cardfwrdd – hen focs siocled. Â dwylo crynedig, agorodd Elsi'r bocs a bu bron iddi ei ollwng pan welodd ei gynnwys. Roedd yn llawn arian. Papurau ugain punt a phapurau hanner canpunt, y cyfan wedi'u gwasgu'n ddestlus at ei gilydd a'u bwndelu.

Cododd y doctor ac aeth ati. Gafaelodd yn y bocs a thywallt ei gynnwys ar y ddesg. Gosododd y bwndeli ochr yn ochr.

"Wyth mil. . . o leia, fuaswn i'n ei ddweud."

"Wyth mil o bunnau! Lle ar wyneb y ddaear y buasai Lara wedi cael pres fel'na?"

"Toes yna ddim byd arall yn y bocs?"

Roedd y doctor yn gwybod yr ateb cyn gofyn y cwestiwn.

"Dim."

"Be'n union ddywedodd hi wrthych chi?"

"Dweud wrtha i am edrych ar ôl hwn iddi a pheidio ei roi i neb, na'i agor o chwaith. . ."

"A does gennych chi ddim syniad sut cafodd hi'r pres?"

"Gofyn i mi beidio'i agor o. . ."

"Mrs Roberts!"

". . . a rŵan dwi wedi gwneud. . ."

"Mrs Roberts!"

". . . wedi pechu yn erbyn fy merch fy hun, ac mae'n rhy hwyr i mi wneud dim am y peth am ei bod hi wedi marw. . ."

Aeth Dr Baker at Elsie a gafael yn ei dwylo.

"Mrs Roberts! Edrychwch arna i!"

"Rhy hwyr! Mae'n rhy hwyr i mi rŵan. Dwi wedi pechu. Pechu'n anfaddeuol! Yn union fel petaswn i wedi'i lladd hi. Ei lladd hi hefo'm dwylo fy hun!"

"Edrychwch arna i!"

Cododd Elsie Roberts a rhyddhau ei dwylo o

ddwylo'r meddyg. Daliodd nhw o flaen ei llygaid.

"Y rhain, Doctor! Y rhain ydi'r dwylo fuodd yn lleddfu'i phoen hi pan oedd hi'n blentyn. . ."

Symudodd ei dwylo ychydig fodfeddi oddi wrth ei hwyneb. Troes y dwylo'n ddyrnau yna trawodd y ddesg o'i blaen yn galed.

"Y rhain!" ysgyrnygodd ar y doctor. "Y rhain hefyd a'i lladdodd hi. Y rhain wasgodd ei bywyd bach hi'n slwtsh!"

Estynnodd Dr Baker dderbynnydd ei ffôn.

"Meri, gofynnwch i Elin ddod drwadd, plîs, a thrïwch gael gafael yn Mr Cadwaladr Roberts a Dr Philipson."

*   *   *

Gwyddai Tecwyn ei fod yn cael ei lusgo ar hyd y carped. Roedd rhywbeth caled, gwlyb yn ei law. Roedd o eisiau gwybod beth oedd o, ond roedd greddf yn dweud wrtho ei bod hi'n saffach cysgu. Clywai lais. Ar y ffôn? Polîs. Rhif y fflat. Sŵn traed lladradaidd. Yna dim byd ond distawrwydd. Distawrwydd a niwl. Doedd o ddim yn gweld yn glir.

Ceisiodd godi. Methodd. Roedd gwaed ar ei ddwylo. Ysgydwodd ei ben i geisio clirio'r niwl. Roedd rhywun wedi ei lusgo oddi wrth y corff. Aeth yn ôl draw ato. Ie, Mo oedd o. Gallai ddweud hynny heb ei droi drosodd. Craffodd. Roedd Mo wedi ysgrifennu rhywbeth yn ei waed ei hun. Fedrai Tecwyn ddim canolbwyntio'i lygaid yn iawn. Darllenodd. L A R A N C.

Laranc? Lara ac NC? Doedd o ddim yn gwneud synnwyr.

Yna gwelodd y pastwn ar lawr yn ei ymyl. Canodd clychau yn ei ben. "Dos o'ma!" gwaeddai llais bychan yn ei glust. "Dos o'ma a dos â'r pastwn hefo ti!" Roedd yn bur sigledig ar ei draed. Rhoddodd y pastwn yn ei boced a chychwyn cerdded at y drws.

Sŵn, seirennau, ceir, cloc, grisiau, garej a glaw. Roedd hi'n pistyllio bwrw. Cerddodd heibio'r tro a thros ben clawdd i ardd rhywun. Ymolchodd a dadebrodd yn y glaw.

Roedd ganddo ddiawl o gur pen, ac am y clawdd â fo roedd iard gefn Mo yn ferw o bolîs. Roedd yn rhaid iddo geisio cyrraedd y Saunders heb i neb ei weld. O lech i lwyn y sleifiodd drwy'r strydoedd cefn. Feiddiai o ddim galw tacsi rhag ofn bod llanast arno. Cyrhaeddodd gefn y Saunders a dringo'r grisiau tân. Hanner munud yn ddiweddarach, roedd yn gwthio botymau drws ei ystafell ac yn llamu i mewn iddi.

Roedd golwg y fall arno. Roedd ei ddillad yn socian o waed a glaw. Tynnodd y cyfan a'u rhoi mewn bag sbwriel. Aeth y pastwn i'w canlyn hefyd.

Cafodd gawod boeth hyfryd a hir. Archwiliodd ei ben. Chwydd yn hytrach na chlwyf oedd yno, ond roedd y cnocio'n felltigedig. Cyn mynd i'w wely, aeth â'r bag sbwriel i seler y gwesty a'i roi yn y ffwrn losgi. Arhosodd yno am bum munud da cyn troi'n ôl am ei ystafell. Galwodd hefyd yn y dderbynfa – roedd am gael ei alw'n gynnar drannoeth.

Roedd yna deleffacs wedi cyrraedd gan Cadwaladr

Roberts. Gorchymyn oedd o i fynd i'w weld drannoeth yn Nhal-y-bont. Edrychodd ar y papur pennawd. Llun pin ac inc henffasiwn o Blas yr Ynys. Chwaethus iawn i'w deleffacs, a gwahanol i'r un plaen ddaeth oddi wrtho ynghynt. Aeth Tecwyn i'w wely i gysgu.

Nid dim ond y cur pen a'i cadwodd ar ddihun y noson honno. Roedd y cwestiynau'n llifo i'w feddwl un ar ôl y llall. Ai Cooper oedd wedi gorchymyn i'w ddynion ei ddilyn? A pham? Oedd rhywun yn disgwyl amdano yn benodol yn fflat Mo? Dim ond y fo, Cadwaladr Roberts a Gwenfron oedd yn gwybod am ei fwriad i fynd yno. Beth oedd LARANC? Oedd Mo yn ceisio pwyntio bys at lofrudd Lara? Os felly, pwy oedd NC?

Bu'n troi a throsi drwy'r nos.

6

DOEDD DIM ANGEN i'r dderbynfa ei ddeffro. Roedd
Tecwyn yn disgwyl eu galwad, ac roedd ei ben yn dal
i gnocio.

Wedi brecwast, aeth i nôl ei gar a gyrru tua'r gogledd.
Prin hanner milltir oedd o wedi'i deithio ac mi welodd
Cooper. Roedd o ar flaen rhes o geir oedd yn gyrru'n
wyllt i ganol y ddinas. Trodd ei stumog. Beth
petai. . . ? Rhoddodd ei droed ar y sbardun a gyrru
fel cath i gythraul. Pam ei fod o'n cael y teimlad annifyr
mai i'r Saunders yr oedd Cooper yn mynd?

Cafodd siwrnai ddigon didrafferth i Dal-y-bont. Aeth
ar ei union i'r Llew Gwyn.

Roedd Cadwaladr Roberts yno eisoes, wedi symud
ei ddynion a'i swyddfa i un o stafelloedd y gwesty.
Roedd y stafell yn llawn cynlluniau a dogfennau, a
hanner dwsin o bobl bwysig yr olwg yn sgwrsio
uwchben map anferth oedd ar lawr yr ystafell.

Cododd ei olygon pan gnociodd Tecwyn ar y drws.
Daeth ato. Cyn cyrraedd, fodd bynnag, trodd yn ei ôl,
a chyfarth ar un o'r dynion.

"*You sort it out! – twelve thousand quid, no more.*"

"*. . . if. . .*"

"*No ifs, no buts, twelve thousand. . .*"

"*Yes sir!*"

Roedd gwên ar ei wyneb pan drodd at Tecwyn.

"Sut wyt ti?"

"Iawn, a chitha?"

"Faint o'r gloch gychwynnaist ti?"

"Ar draws yr wyth yma. . ."

"Mi awn ni drwadd. Mae gen i stafell arall yn fan'cw."

Roedd ei gwestiwn cyntaf i Tecwyn yn un hollol annisgwyl.

"Pam y cest ti dy daflu allan o'r Ffôrs?"

"Gadael wnes i."

"Nid dyna glywais i. . ."

"Gadael o 'ngwirfodd wnes i."

Bu ennyd hir o ddistawrwydd. Roedd o fel petai o'n mesur a phwyso beth oedd o'n mynd i'w ddweud nesa, neu sut roedd o'n mynd i'w ddweud o.

"Leciat ti ennill cyflog da am weithio deuddydd bob wythnos am weddill dy fywyd?"

Rŵan roedd meddwl Tecwyn yn dechrau hedfan. Roedd yna ryw ddrwg mawr yn y caws yn fa'ma. Dim gair am Lara. Dim gair o gwbl ynglŷn â'r ymholiadau.

"Mae gen i waith am fis."

Newidiodd drywydd eto.

"Be ydi dy deimladau di am y Meibion?"

Os oedd o'n disgwyl ateb cyflym, chafodd o mo'i siomi.

"Fuaswn i ddim yn lecio bod yn un ohonyn nhw pan gaiff Cooper afael arnyn nhw."

"Allistair Cooper?"

"Ia."

"Gad i mi weld. Allistair Cooper. Ganwyd 1961, yn '

un o bentrefi Buckinghamshire. Ei dad yn yr High-landers. Ei fam yn dod o Surrey. Addysg breifat. . . yna Rhydychen. . . ymunodd â'r fyddin yn 1982 ac ymhen dwy flynedd roedd o'n sarjant gyda'r Berets Duon. Gadawodd ar ôl saith mlynedd ac aeth ar ei ben i'r Heddlu Rhyngwladol. Oherwydd ei allu i siarad Cymraeg cafodd ei symud i Gymru i geisio dal y Meibion. Ers troad y ganrif bu'n gweithio o Ddolgellau, ac yn y cyfnod hwnnw mae yna naw o Gymry Cymraeg wedi. . . ym. . . be gawn ni ddweud. . . 'diflannu'? Mae o'n briod hefo tri o blant, ac mae'r teulu i gyd yn cael eu gwarchod ddydd a nos gan Ffederals. . ."

"Ac ystyried mai peiriannydd sifil ydach chi wrth eich galwedigaeth, mae'ch gwybodaeth chi am Cooper yn rhyfeddol!"

"Fuodd ond y dim i'r diawl yna farw yn dilyn cam-drin Tudur, ac oni bai amdanat ti. . ."

"Sut gwyddoch chi am hynny?"

"Dwi wedi darllen y ffeil, a chystal i ti gael clywed y newyddion drwg am dy hen fêt Blackwood. Mi gafodd o shifft i Loegr, ac mi ddiflannodd."

"Be?"

"Faint o Gymry sydd wedi cael eu cam-drin ers dyddiau Blackwood?"

"Neb, am wn i."

"Dyna i ti pam. Tric a ddysgwyd i'r Meibion gan yr IRA. Rhyw fath o *code* rhwng gelynion."

"Pam ar wyneb y ddaear ydach chi'n deud hyn wrtha i?"

"Mi fedrwn ni. . . mi fedra i wneud efo dyn fel ti. Rwyt ti wedi profi dy hun. Doeddwn i ddim yn disgwyl i ti gyrraedd yma heddiw hyd yn oed, oherwydd fe wn i y rhwystrau gafodd eu gosod yn dy ffordd di. . ."

Edrychodd Tecwyn i fyw ei lygaid, ac ysgydwodd ei ben yn araf.

"Mae gen i ofn mai gwrthod wna i."

"Mi fydd gwrthod yn gwneud pethau'n anodd."

Wyddai Tecwyn ddim beth i'w ddweud. Roedd Cadwaladr Roberts yn dangos ei gardiau i gyd iddo. Neu oedd o? Roedd hi'n amlwg fod ganddo gysylltiad agos â'r Meibion, ac roedd hi'n amlwg ei fod o'n weddol hyderus na fyddai Tecwyn yn ei fradychu. Pe bai'n gwrthod ei gynnig, efallai mai tynged Blackwood fyddai tynged Tecwyn yntau.

"Pwy yn union sy'n cynnig gwaith imi?"

"Cyn belled ag wyt ti yn y cwestiwn, y fi. Mi fyddi'n gweithio i Cadwaladr Roberts a Tramwy Cyf. Mae gen i gynlluniau mawr, cynlluniau cyffrous, ar y gweill; cynlluniau all weddnewid Cymru. . . rhoi bywyd go iawn yn ôl yng nghefn gwlad. . . curo'r. . ."

Brathodd ei dafod ar hanner ei berorasiwn. Doedd o ddim wedi dangos yr ochr hon o'i gymeriad o'r blaen. Efallai iddo yntau deimlo ei fod wedi gwthio gormod i'r dwfn. Ymdawelodd, ac meddai'n ddigon sych,

"Cymer ddeuddydd neu dri i feddwl dros y cynnig a thyrd yn ôl ata i."

"Mi fydda i yn y Bala yfory a thrennydd."

Os clywodd Cadwaladr Roberts, chymerodd o ddim sylw. Roedd â'i ben mewn bwndel o bapurau. Roedd amser Tecwyn ym mhresenoldeb yr hollalluog wedi dod i ben a doedd o ddim wedi sôn am ei ymholiadau.

"Mr Roberts!"

Daeth un o ddynion Cadwaladr i mewn.

"Dim rŵan!" cyfarthodd Cadwaladr yn gas.

"Ond mae o'n bwysig, syr! Dr Baker isho chi ar y ffôn. Rhywbeth ynglŷn â'ch gwraig chi. . ."

*   *   *

"Dim ateb, Herr Lieber!"

Roedd tymer y diawl ar Heinrich Lieber. Roedd o wedi ceisio galw Plas yr Ynys bum gwaith yn barod a doedd neb yn ateb y ffôn yno.

Beth ar wyneb y ddaear oedd yn digwydd yng Nghymru? A ble roedd Cadwaladr Roberts? Roedd o wedi derbyn galwad ffôn gan blismon o Gaerdydd y bore hwnnw yn gofyn a oedd o wedi gweld merch o'r enw Lara Roberts tra oedd o'n aros yn y Saunders yr wythnos cynt.

Yr hyn a boenai Lieber oedd, tybed oedd Harry Crass wedi derbyn yr un alwad? Gallai'n hawdd ddychmygu'r panig yn gafael fel gelen yn hwnnw. Dyna pam ei fod o wedi ceisio cael gafael ar Cadwaladr Roberts i weld beth yn union oedd yn digwydd.

Roedd o'n hanner disgwyl galwad gan Crass, a chystal iddo'i arfogi'i hun ag ateb parod o enau Roberts cyn iddo ffonio, ond roedd o'n methu deall pam nad oedd posib cysylltu o gwbl â Phlas yr Ynys. Fel arfer, byddai Elsie Roberts yno i basio negeseuon ymlaen. Doedd o erioed o'r blaen wedi methu cysylltu â Cadwaladr Roberts.

Ac eto, meddyliodd, ni ddylai boeni'n ormodol. Wedi'r cwbl, roedden nhw newydd golli'u merch. Efallai fod y ddau yng Nghaerdydd, neu wedi dianc i rywle am ddiwrnod neu ddau.

* * *

Newydd adael Tal-y-bont oedd Tecwyn pan welodd y ddau gar yn dod ar frys gwyllt y tu ôl iddo. Roedd o mewn hwyl rasio, ond o'i flaen, rhyw ddau gan llath draw, roedd y ffordd wedi'i blocio. Roedd dau gar ar letraws – doedd dim modd dianc. Edrychai'n debyg eu bod yn disgwyl amdano.

Arhosodd y car a chamodd Tecwyn ohono. Y tu ôl iddo, yn un o'r ceir, roedd Cooper.

"Ti'n y cach, Tecs."

"Y fi? Pam?"

"Y Meibion, Lara, Mo Tarrant, enwa fo, ac mae dy enw di yn dod i'r brig, BOB TRO!"

Roedd Tecwyn yn hanner gobeithio mai blyffio oedd o, neu ei fod o'n chwarae rhyw gêm, ond fuasai Cooper hyd yn oed ddim wedi dreifio o Ddolgellau i Gaerdydd, ac o Gaerdydd i Dal-y-bont, i chwarae gêm. Na! Roedd y dyn o ddifri. Siaradodd i'w ddictaffon:

"*M470. . . North of Tal-y-bont. . . September 11th, 13.05 hours. . . Chief Federal Officer Cooper, arresting suspect Eleias on charges relating to the murder of Lara Roberts.*"

Cleciodd ei fysedd.

"Ewch â fo i Ddolgellau, a tydi o ddim i gael siarad hefo NEB! N.E.B. nes y cyrhaedda i, ac y bydda i wedi ei holi o. . . dallt? Streeter! Ei gar o, dos â fo i'r Lab."

Doedd Tecwyn ddim yn deall beth oedd yn digwydd. Ei restio fo am lofruddio Lara? Ceisiodd gael eglurhad gan Cooper, ond fe'i hanwybyddwyd. Ymhen tri chwarter awr roedd yn ôl yng nghelloedd Dolgellau, a doedd Cooper ddim yn malu cachu. O fewn chwarter awr i gyrraedd, roedd yn cael ei holi ganddo.

"Lle roeddat ti nos Fawrth. . . Medi 7fed? Wythnos i neithiwr?"

"Dim cliw. Sbia yn fy nyddiadur i."

"Dwi wedi gwneud – roeddat ti yng Nghaerdydd."

"Yng Nghaerdydd, felly!"

"Dyna'r noson y lladdwyd Lara Roberts."

Ar unwaith, cychwynnodd ei feddwl rasio'n wyllt. Doedd o ddim wedi sylweddoli o'r blaen! Roedd o yng Nghaerdydd y noson y lladdwyd Lara!

"Be ti'n drio'i ddeud, Cooper?"

"Oeddat ti'n ei nabod hi?"

"Roeddwn i wedi'i chyfarfod hi unwaith, flynydd-oedd yn ôl."

"Pan oeddat ti yn y Ffôrs?"

"Wedi imi adael. Rhyw joban oeddwn i'n ei gwneud."

"Joban i bwy?"

"Cleient."

"Paid â dechrau malu cachu hefo fi."

"Paid titha â chwara hefo finna! Be 'di'r cyhuddiad?"

Yn ôl rheolau Cooper, a'r hyn a gofiai o'i diwtorials,

mi fyddai rŵan yn osgoi'r cwestiwn ac yn dilyn trywydd arall. Ac mi wnaeth. Aeth i ddrôr yn y ddesg o'i flaen, a thaflodd gwdyn plastig at Tecwyn.

"Wyt ti wedi gweld rheina o'r blaen?"

Yn y cwdyn plastig roedd y bagiau plastig oedd am y pres a roddodd Cadwaladr Roberts iddo ym Môn.

"Rydw i wedi gweld rhai tebyg iddyn nhw. Fedra i ddim deud os mai rheina ydyn nhw."

"Rheina oedd yn dy gar di, boi, a weli di'r rhifau, a'r stamp yna?"

Pwyntiodd at farciau mewn inc du ac oren ar y bagiau.

"Roedd y rheina'n rhan o dri chant a hanner o filoedd gafodd eu dwyn oddi ar y *Trans-European Express* ger Crewe y llynedd, a rhag ofn NAD wyt ti'n cofio, fe hawliodd y Meibion y clod. Ac mi wyddost beth fydd fy nghwestiwn nesa i?"

"Fe'u ces i nhw gan gleient."

"Go damia chdi 'Leias! Tyrd yn dy flaen, nid blydi gêm ydi hyn!"

Roedd Tecwyn yn gwybod ei fod yn ei wylltio. Roedd o wedi cyfeirio eisoes at Lara, a'r Meibion, ond mi enwodd Mo Tarrant hefyd wrth ei restio. Rhaid fod ganddo rywbeth i'w ddweud am hwnnw hefyd, a hyd nes y clywai'r cyfan oedd gan Cooper i'w ddweud, doedd Tecwyn ddim am ddechrau siarad.

"Fel cyn-aelod o'r heddlu, mi wyddost ei bod yn drosedd trin a thrafod eiddo wedi ei ddwyn?"

Nodiodd Tecwyn. Gwyddai y byddai hynny eto'n annisgwyl, ac yn ei arwain ar drywydd arall.

"Wyt ti'n nabod dyn o'r enw Mo Tarrant?"

"Ddaru mi erioed gyfarfod dyn o'r enw yna."

"Tyrd o 'na, Eleias!"

"Tydw i ddim yn ei nabod o!"

"Oeddat ti yng Nghaerdydd neithiwr?"

"Oeddwn."

"Pam oeddat ti yno?"

"I lawr am ychydig ddyddiau."

"Yn gwneud beth?"

"Gweithio i gleient."

Mi wylltiodd go iawn.

"Gwranda arna i'r basdad! Dwi'n cael hyd i fagia plastig yn dy gar di gafodd eu dwyn gan y Meibion, a dy eglurhad di? Cleient! Rwyt ti'n digwydd bod yng Nghaerdydd pan mae Lara Roberts yn cael ei mwrdro. Eglurhad? Cleient! A neithiwr, mi ges i ffôn yma yn dweud dy fod ti. . . ie TI, Eleias, wedi lladd dyn mewn fflat yng Nghaerdydd, a phan aeth ein dynion ni yno mi gawson nhw gorff dyn o'r enw Tarrant, a neges wedi ei sgwennu yn ei waed ei hun yn cyfeirio atat ti. A dy eglurhad di? Ffacin CLEIENT! Callia, wir dduwcs!"

Roedd gan Tecwyn syniad nad oedd o'n dweud y cyfan, a bod y gwylltio yn rhan o'i act, ond sut ar wyneb y ddaear yr oedd o'n cysylltu'r geiriau LARA NC â Tecwyn? Fe ddaeth y neges ffôn fel sioc. Rhaid fod pwy bynnag oedd yn y fflat yn adnabod Cooper ac wedi'i ffonio. Beth, tybed, oedd y cwd yn ei ddal yn ôl? Roedd Tecwyn yn sicr ei fod o'n cadw rhywbeth, oherwydd dyna'i steil – cadw'r walop tan y diwedd.

Yn sicr doedd o ddim wedi gorffen.

"Syrcymstanshal i gyd."

Fe'i dywedodd yn sarcastig ac yn bryfoclyd. Aeth Cooper i'w ddrôr drachefn. Taflodd ffotograff ato. Edrychodd Tecwyn arno, ac aeth yn chwys oer drosto. Roedd wedi gweld yr olygfa o'r blaen – Mo Tarrant yn gelain. Ond roedd un gwahaniaeth bach yn y llun hwn. Nid LARA NC oedd wedi ei sgrifennu yn y gwaed, ond LARA, ac oddi tan yr enw y llythrennau T ac E. Lle buasai NC, roedd pwll o waed. Cododd Tecwyn ei olygon. Roedd gwên greulon ar wyneb Cooper.

"Tydi hynna'n golygu dim i mi, Cooper."

"T.E.! Tecwyn Eleias, efallai? Mo Tarrant yn ceisio dweud pwy laddodd Lara?"

"Y peth fasa ar feddwl dyn, wrth farw, fasa pwyntio bys at ei lofrudd ei hun."

"Ond mi wnaeth! A'n cyfeirio ni hefyd at lofruddiaeth arall!"

Chwarddodd Tecwyn yn ei wyneb, ond mi wyddai nad oedd yn chwerthiniad oedd yn argyhoeddi, nac yn twyllo Cooper. Chwerthiniad dyn mewn cornel oedd hi. Roedd o rŵan yn disgwyl rhywbeth gan Tecwyn.

"Cadwaladr Roberts ydi'r cleient."

Gwenodd.

"Dwi'n gwybod. Ond rhaid i mi gael mwy na hynna gen ti."

Y basdad! Fedrai Tecwyn ddim dweud a oedd o'n dweud y gwir ai peidio, ond fe wyddai mai'r cam nesaf fyddai cael ei gadw i stiwio am beth amser. Wedyn mi

124

fyddai yna holi pellach.

"Mae gen i bobol i'w gweld rŵan, Eleias, ond cystal i ti gael gwybod mai'r cyhuddiad dwi ar ei ôl ydi llofruddiaeth. Mi fyddi di'n cael dy gyhuddo o lofruddio Lara Roberts, ac efallai Mo Tarrant hefyd."

Roedd cyfnod o stiwio'n dechrau. Cafodd Tecwyn ei hebrwng i'r gell. Doedd o ddim haws â cheisio'i ddarbwyllo'n wahanol. Gorweddodd ar ei astell a meddwl. Meddwl yn galed.

Oedd, roedd o yng Nghaerdydd y noson y bu farw Lara. Roedd o yno hefo Jo Logs ar uffar o binj. Bu'r ddau ohonynt yn y Wine Bar tan wedi deg, oddi yno i'r Halfway, wedyn. . . wedyn. . . doedd o ddim yn cofio. . .

Cwsg. Aeth i gysgu yng nghanol ei feddyliau.

* * *

Roedd y Prif Arolygydd Howard yn ddyn blin iawn. Roedd Sarjant Hopwood newydd ddychwelyd o'r Saunders a dweud wrtho fod y rheolwr yn cwyno fod presenoldeb plismyn yn y gwesty'n tarfu ar ei fasnach.

"Pwy uffar mae o'n feddwl ydi o? Rydan ni'n trio ffendio llofrudd yn fa'ma!"

"Mi fuodd Sami, y Ffederal. . . mi fuo fo yno'n gynharach heddiw. . ."

"Be oedd o'n ei wneud yno?"

"Fe wnaeth lungopi o ffotograff dynnodd Johnson ddoe y tu allan i fflat Gwenfron Pierce, ac fe aeth fel cath i gythral allan o'ma bora 'ma. Rhaid mai i'r

Saunders yr aeth o."

"Pa ffotograff?"

"Llun Pierce a dyn aeth draw i'w fflat ddoe."

"Dos i nôl ffeil Johnson i mi. Rŵan!"

Roedd Howard wedi amau fod yna ddrwg yn y caws pan anfonwyd Sami gan Cooper i fusnesu. Y Meibion oedd ei esgus. Dau ymholiad yn cyd-daro, medda fo. Rŵan, fodd bynnag, roedd hi'n bryd i Cooper egluro'n llawn iddo, gan fod ymholiadau'r Ffederals yn tarfu ar, neu yn waeth, yn llesteirio ei ymholiadau i lofruddiaeth Lara Roberts.

Pan ddaeth y ffeil i'w law, y cwestiwn ym meddwl Howard oedd, beth tybed oedd wedi arwain Sami i'r Saunders? Craffodd y Prif Arolygydd ar adroddiad ei dditectif ac edrychodd ar y ffotograff.

"Ydan ni'n nabod hwn?"

"Hen aelod o'r Ffederals, syr."

"Be ydi'i enw fo?"

"Tecwyn Eleias. . ."

"Beth ydi diddordeb Cooper a'r Ffederals ynddo fo rŵan?"

"Roedd o'n aros yn y Saunders neithiwr o dan enw ffug – Gareth Lewis – ac fe aeth Pierce draw yno ato fo, ac aros am rai oriau. . ."

"Dyna'r wybodaeth gafodd Sami yn y Saunders?"

"Yn ôl y rheolwr, ie syr. Un peth arall, mae Gwenfron Pierce wedi mynd dramor – mi fuo'n prynu ticed awyren iddi hi'i hun. Wythnos ym Mhortiwgal – talu hefo arian sychion."

Cododd Howard ei aeliau.

"Diddorol. Oes yna rywun yn dal i'w dilyn?"

"Newydd riportio hynna'n ôl maen nhw. Mi fedra i drefnu dyn i'w dilyn os oes raid. . ."

"Oes yna bwrpas?"

Ysgydwodd y Sarjant ei ben.

"Roeddwn i'n meddwl anfon un o'r hogia i'w holi hi ymhellach jyst cyn iddi adael. Cyhyd â'i bod hi'n onest ac yn dweud yn union i ble mae hi'n mynd, fedra i ddim gweld cyfiawnhad i'w dilyn hi."

"Rhywbeth arall i'w adrodd am yr ymholiad?"

"Mi ddylian ni fod wedi gorffen holi'r cwsmeriaid oedd yn y Saunders cyn diwedd y dydd. . ."

Ni chafodd orffen ei frawddeg, oherwydd rhuthrodd un o'r plismyn ato.

"Sarjant! Sarjant!"

Doedd o ddim wedi sylwi ar Howard am eiliad.

"Sori, syr!. . . meddwl y basech chi'n lecio gweld yr enw yma. . . ar rejister y Saunders y noson y lladdwyd Lara Roberts, syr."

*　　*　　*

Problemau, problemau, problemau. Doedd Cadwaladr Roberts yn gweld dim byd ond problemau o'i amgylch. Roedd yn treulio pob dydd o'i fywyd yn ymateb i wahanol broblemau. Rŵan roedd hi'n ymddangos eu bod yn lluosogi.

Doedd o ddim wedi disgwyl i Eleias ymateb yn wahanol i'r hyn wnaeth o mewn gwirionedd, ond roedd o'n sicr y buasai'n ailfeddwl ac yn ymuno â nhw.

Mi fuasai cael rhywun o galibr Tecwyn Eleias gyda fo drwy'r *flotation* yn fonws. Roedd o'n gobeithio nad oedd o wedi dweud gormod. . . na, mi allai'r cyfan apelio at hynny o wladgarwch oedd yng nghyfansoddiad y ditectif.

Doedd o ddim yn siŵr sut y dylai ymateb i alwad Dr Baker. Roedd hwnnw newydd ei ffonio a dweud fod ar Elsie angen gofal a thriniaeth feddygol i'w helpu trwy'i galar. Roedd o wedi awgrymu na ddylai gael ei gadael ar ei phen ei hun o gwbl, a'i fod wedi llwyddo i'w darbwyllo i fynd o'i gwirfodd i ysbyty Glanafon.

Cadwaladr fyddai'r cyntaf i gyfaddef ei fod o a'i wraig wedi ymbellhau yn ystod y blynyddoedd olaf hyn. Iddo fo, roedd hynny'n anochel ac roedd o hefyd yn argyhoeddedig mai dyna ddymuniad Elsie. Mi fyddai yna fwy o sioncrwydd yn perthyn iddi pan glywai y byddai o'n mynd oddi cartre am sbel. Yn wir, mi fuodd Cadwaladr yn amau fod ganddi ddyn arall, ond doedd ganddo ddim tystiolaeth, dim ond ei amheuon, a phetai o'n onest â'i hun, fyddai dim ots ganddo chwaith.

Yna cofiodd am Lara. Lara! Cuddiodd ei wyneb â'i ddwylo. Doedd dim dianc rhag Lara a'r llanast yma. Ac, wrth gwrs, roedd yn rhaid i hyn oll ddigwydd ac yntau ar fin cymryd cam anferth ymlaen ym myd busnes. . .

"Ia?" bloeddiodd yn ddiamynedd ar y ferch a gnociodd ar y drws. "Be sy'n bod?"

"Galwad ffôn i chi, syr. . . y Prif Arolygydd Howard o Gaerdydd."

*   *   *

"Eleias!"

Roedd bysedd Tecwyn yn gwasgu gwddw Lara.
Roedd hi'n edrych arno. Ei llygaid glas, glas yn syllu,
yn ymbil, ac yntau'n gwasgu'r bywyd ohoni.

"Eleias!"

Er ei fod yn clywed y llais, doedd o ddim wedi ei
thagu'n iawn. Ond roedd y llais yn dod yn nes. Aeth
yn chwys oer i gyd. Roedd mewn panig. Roedd o wedi
lladd Lara!

"Eleias!! *Get up! Chief wants you.*"

Roedd dau yno'n holi y tro hwn. Hwn fyddai'r holi
caled, felly. Ar y dde safai Cooper, ac ar y chwith, y
llall. Dyn du mawr, pymtheg stôn. Cystal i Tecwyn gael
yr ergyd gyntaf i mewn.

"Dydw i ddim yn bwriadu siarad Saesneg."

Gwenodd Cooper, ac meddai'n neis:

"Mae Sami'n dallt Cymraeg. Hogyn o Dal-y-sarn ydi
o."

Ar amrantiad, caledodd ei lais.

"Dwi ddim isho dim o dy falu cachu di, Tecs. Rwyt
ti mewn trwbwl at dy geillia, mêt, felly dim. . .
byd. . . ond. . . atebion. . . call! Dallt?"

Pwysleisiodd bob un gair. Nodiodd Tecwyn. Rhaid
iddo gadw'i synhwyrau, fe allai ei ryddid ddibynnu ar
hynny. Sami ddechreuodd.

"Oeddat ti yng Nghaerdydd y noson y bu farw Lara
Roberts?"

"Oeddwn."

"Be oeddat ti'n da yno?"

"Binj. Hefo ffrind."

"Enw?"

"Tecwyn Eleias."

" 'Leias!"

Roedd y rhybudd yn ddigon.

"Joseff Warrington – Joe Logs mae pawb yn ei alw fo, boi o Gorris, mae o'n gweithio i'r Comisiwn."

"Am faint fuost ti yn ei gwmni?"

"O ddeg yn y bore tan tua un ar ddeg y nos."

"Cof da gen ti."

"Roeddan ni wedi gwneud trefniada i gwarfod am ddeg y bora, a'r peth dweutha dwi'n ei gofio oedd cael ein hel o rywla amsar cau."

"Ac wedyn?"

"Rhy feddw i gofio. Dwi'n cofio deffro'n y bora yn y gwesty. Rhaid 'mod i wedi cael tacsi adra."

"Pa westy?"

"Mae o yn fy nyddiadur i."

"Pa blydi gwesty!?"

"Harpers, yn Cathedral Road."

Cymerodd Cooper yr awenau.

"Wyt ti'n un o'r Meibion?"

"Nac ydw."

"Wyt ti'n nabod un o'r Meibion?"

Oedodd.

"Nac ydw."

"Pam oedi cyn ateb?"

"Tydw i ddim yn nabod 'run ohonyn nhw."

"Wyt ti'n gwybod fod Cadwaladr Roberts dan

130

amheuaeth o fod yn un ohonyn nhw?"

"Mae pob Cymro Cymraeg yn cael ei amau o fod yn un."

"Atab y cwestiwn!"

"Na. Wyddwn i ddim."

"Wyt ti wedi derbyn pres gan Cadwaladr Roberts?"

"Do."

"Oeddat ti'n gwybod mai pres wedi eu dwyn oeddan nhw?"

"Nac oeddwn."

"Pam y talodd Cadwaladr Roberts bum mil i ti?"

"Cleient oedd o."

"Beth oedd natur dy waith di iddo fo?"

"Chwilio, chwilio am ffeithiau."

"Ffeithiau?"

"Ffeithiau."

"Ynglŷn â be?"

Dim ateb.

"Ynglŷn â be?!"

Dim ateb. Ffrwydrodd Cooper.

"Go damia chdi, Eleias! Twyt ti'n helpu dim arnach chdi dy hun!"

"Mater rhwng fy nghleient a finna ydi o, Cooper. Petawn i'n meddwl fod a wnelo hyn rywbeth â'r ces yma, mi ddywedwn hynny."

Chwyrnodd yn fygythiol.

"Ers pryd wyt ti'n nabod Cadwaladr Roberts?"

Saib.

"Tair blynedd."

Cododd ei aeliau.

"Ers pryd mae o'n gleient?"

"Tair blynedd."

"Ers pryd wyt ti'n nabod Lara?"

"Tair blynedd."

"Ydi o'n ormod imi ofyn be oedd y gwaith wnest ti i Cadwaladr Roberts dair blynedd yn ôl?"

"Chwilio am Lara."

"Chwilio? Am Lara?"

"Roedd hi wedi gadael cartre, ac roedd o isho imi ei ffendio hi. Roedd o isho gwybod ei bod hi'n iawn."

"Ac oedd hi?"

"Oedd, mi ffendiais hi ar ôl ychydig ddyddiau. Roedd hi hefo un o'r. . . Roedd hi hefo Rici Rhisiart."

Goleuodd ei wyneb.

"Aha! Rŵan! Dyma ni'n mynd i rywle o'r diwedd. Hwn oedd y boi wnest ti ymosod arno yn y Bala. Diddorol. Pa mor dda ddoist ti i nabod Lara?"

"Mi wnes ei chyfarfod hi ryw deirgwaith i gyd."

"Oeddach chi'n ffrindiau da?"

"Eitha."

"Est ti i'r gwely hefo hi?"

"Paid â bod mor. . ."

"Est ti i'r gwely hefo hi?"

"Do. A dyna'r tro dweutha i mi ei gweld hi. Dair blynedd yn ôl."

"Ia, ia. Dyna dy stori di. Wyt ti isho imi ddeud wrthat ti be dwi'n feddwl? Ti laddodd Lara. Mi'i gwelaist hi yng Nghaerdydd ond doedd hi ddim isho dim byd i'w wneud hefo chdi. Mi wylltiaist ti, a'i lladd. Mi wyddet ti mai yr un allai eich cysylltu chi oedd Rici Rhisiart, felly dyma ti'n ei ddychryn o yn y Bala."

Oedodd.

"Sut leddaist ti hi, 'Leias? Y? Gwasgu'i gwddw hi'n ara? Dim wedi meddwl ei brifo hi, ia? Damwain oedd y cyfan, ia?"

"Mae hynna'n denau, Cooper, ac mi wyddost ti hynny'n iawn. Y munud y ca i gyfreithiwr, mi fydda i oddi yma mewn deng awr."

Ysgydwodd Cooper ei ben, ac aeth Tecwyn ar gefn ei geffyl.

"I ddechrau, mae llofruddiaeth Lara Roberts allan o dy ddwylo di. Ffederals y De piau hwnnw, ac yn fwy na hynny. . ."

"Deddf 1998, boi. . ."

"Paid â thaflu'r cachu yna ata i. . ."

"Mae gen i le i gredu fod a wnelo llofruddiaeth Lara Roberts â'r Meibion ac felly, o dan Ddeddf 1998, mi fyddi di yma am bythefnos, ac mi ofala i y byddan nhw'n ddyddiau y cofi di amdanyn nhw am weddill dy fywyd!"

"Y basdard!"

"Waeth i ti heb."

"Y basdard! Y basdard!!"

Gwthiodd Cooper ei wyneb yn agos at wyneb Tecwyn.

"Rwyt ti yma am bedwar diwrnod ar ddeg. Hyd nes y ca i ddigon o dystiolaeth, a chei di ddim cysylltu â neb – neb, dallt? – heb fy nghaniatâd i."

Roedd Tecwyn yn dal i obeithio mai blyff oedd hi. Caeodd ei geg yn glep. Mi gâi Cooper wneud y symudiad cyntaf. Ac mi wnaeth. Amneidiodd ar Sami.

"Lawr â fo. Dim cysylltiad â neb."

Edrychodd i lygaid Tecwyn cyn ychwanegu,

". . . a Sami, gyrra am Hogia Hereford."

Roedd Tecwyn yn dal i ddisgwyl i Cooper ei alw'n ôl, wedi iddo fynd trwy'r drws, ond wnaeth o ddim. Dyna pryd y trawodd yr ergyd adref. Roedd Cooper yn gwirioneddol gredu mai Tecwyn oedd llofrudd Lara! Nid blyffio oedd o! Oherwydd hynny roedd o ar ei ffordd i ddwylo hogia'r Camp yn Henffordd! Cael ei holi gan y rheini? Nac oedd, myn uffar!

Cerddai Tecwyn o flaen Sami trwy'r ail ddrws at y dderbynfa fel oen i'r lladdfa. Roedd yn ymwybodol fod Sami yn llythrennol chwythu i lawr ei war. Cyrhaeddwyd y trydydd drws. Agorodd Tecwyn ef yn union fel petai am gerdded trwyddo, ond wedi ei agor a chymryd cam, rhoddodd blwc ffyrnig iddo ac ochrgamu. Trawodd y drws Sami yng nghanol ei wyneb.

Mewn chwinciad, roedd Tecwyn wedi neidio drosto, a llamu dros y cownter. Aeth heibio'r wyneb gwyn oedd ar ddyletswydd a thrwy'r drws gwydr i'r nos. Roedd y garej ar agor.

Doedd o ddim yn teimlo'n uchelgeisiol, felly gadawodd yr hofrennydd a dwyn un o'r beiciau modur. Chwyrnodd y peiriant yr un pryd ag y canodd y seirennau yn y Pencadlys.

Greddf gyntaf Tecwyn oedd ei 'nelu hi am y Bala, ond am y gogledd yr aeth. Doedd dim pwrpas mynd yn rhy bell heddiw. Ar ôl ychydig funudau, gadawodd y ffordd a chuddio yng nghanol un o goedwigoedd y

Comisiwn. Ac yno bu drwy'r nos, yn gwylio ceir a beics yr heddlu'n mynd a dod.

7

"Dweud o hyd y mae 'nghyfeillion
Dyna'r unig gysur gaf;
Cwyd dy galon, eneth dirion,
Mi fendi di pan ddaw yr haf."

Roedd Elsie Roberts yn hymian canu wrth gerdded
yn ei slipars tuag at Blas yr Ynys. Roedd y tacsi newydd
ei gadael yng ngheg y lôn, ac roedd hithau wedi talu'n
anrhydeddus iddo am y siwrnai o'r ysbyty adre.

Twt-twtian wnaeth y nyrsys pan fynnodd adael yr
ysbyty, ond roedd hi'n ymwybodol iawn o'i hawliau.

"Mi fendi di, pan ddaw yr haf. . ." Cododd ei phen
yn sydyn. Roedd hi newydd sylweddoli ei bod wrth y
gatiau mawr ac nad oedd yr un o'r cŵn o gwmpas.
Gwaeddodd,

"Sam! Satan! Tyrd yma, boi!"

Rhedodd y ddau gi o'r cytiau yn y cefn a dechrau
cyfarth eu croeso iddi. Agorodd Elsie'r giât ac aeth
drwyddi gan ei chau ar ei hôl. Aeth i'r tŷ.

"Hogia da!" Taenodd law dros gefn pennau'r cŵn
ac aeth ar ei hunion i wneud bwyd iddyn nhw.

"Wnewch chi ddim gadael Elsie, yn na wnewch? Na
wnewch, siŵr iawn. . . hogia da. . . hogia da. . ."

Pan oedd hi ar wawrio, cychwynnodd Tecwyn Eleias am y gogledd ac Ynys Môn. Llwyddodd i osgoi'r prif drefi, a synnu'n fawr nad oedd Cooper wedi gosod dynion ar yr un o'r ddwy bont i Fôn.

Toc wedi naw, roedd Tecwyn wedi parcio'r moto-beic ac yn sefyll y tu allan i gatiau Plas yr Ynys. Elsie Roberts atebodd ei alwad – roedd Tecwyn yn amau mai dim ond y hi oedd gartref. Roedd hi'n swnio'n nerfus wrth siarad i'r weleffon.

"Pwy ydach chi?"

"Tecwyn Eleias."

"Ydw i fod i'ch nabod chi?"

"Dwi'n gweithio i'ch gŵr chi, ac roeddwn i'n nabod Lara."

Basdad drwg oedd o'n deud hynna, ond fe weithiodd.

"Dowch i mewn."

Dwy giât, dau gi a dôr yn ddiweddarach, ac roedd Tecwyn yn edrych ar Elsie Roberts. Roedd hi'n ddynes smart fel arfer, ond heddiw roedd golwg hen a hagr arni. Doedd hi ddim yn edrych fel petai wedi cysgu ers dyddiau lawer, ac roedd ei gwallt a'i gwisg nos yn flêr.

"Ydi Mr Roberts yma?"

"Nac ydi. Mi gafodd ei alw i Gaerdydd, mae o yno ers tridiau."

"O."

"Sut oeddach chi'n nabod Lara?"

"Ei chyfarfod hi yng Nghaerdydd, dair blynedd yn

137

ôl. Y fi ddaeth â'r llythyr yma, 'dach chi'n cofio?"

Oedd, mi roedd hi'n cofio. Cymylodd ei hwyneb am ennyd ac ysgydwodd ei phen.

"Y fath wastraff. . . y fath wastraff. . ."

Roedd Tecwyn yn synhwyro fod yna rywbeth o'i le, ond efallai mai'r straen oedd yn gyfrifol am yr olwg ryfedd oedd ar Elsie Roberts.

"Oes modd imi yrru neges bwysig i Mr Roberts?"

". . . roedd hi'n hapus yma, 'chi. . . digon o ffrindiau. . . digon o betha i'w gwneud. Chwarae tennis, nofio. . ."

Aeth i ddrôr y ddresel fawr ac estyn pentwr o luniau. Roedd ôl bodio arnynt.

"Fe dynnwyd y rhain ryw flwyddyn ar ôl i ni godi'r tŷ a symud yma. Pymtheg oed oedd hi."

Roedd Lara ym mhob llun. Ceisiodd Tecwyn arwain y sgwrs yn ôl at Cadwaladr Roberts, wrth edrych ar y lluniau.

"Ddaru Mr Roberts adael rhif neu gyfeiriad i chi gysylltu â fo ar fyrder?"

"Mae'i ffôn personol wastad ganddo fo, ond fydda i ddim yn ei ffonio ar hwnnw'n amal. Tydi o ddim yn lecio cael ei styrbio wrth ei fusnes. . . dyna'r drafferth, 'chi, mae plant isho'ch amser chi, yn tydyn? Rhaid i chi roi eich amser i'ch plant, neu mi'u collwch chi nhw."

"Fyddech chi'n fodlon i mi ei ffonio fo. . . ?"

Ddaru Tecwyn ddim gorffen ei frawddeg. Roedd yn edrych ar un o'r lluniau ac yn methu credu'r hyn a welai. Estynnodd y llun iddi.

"Dim. . . bechingalw ydi hwnna?"

"Ia, Rici. Rici Rhisiart. Mi fydda fo'n dod yma'n amal erstalwm. Rhyw fusnas hefo Cadwaladr. . . roedd hynny flynyddoedd cyn iddo fo fynd ar y teledu."

"Oedd Lara'n ffrindia hefo fo?"

Chwarddodd. Rhyw chwerthiniad bychan iddi hi ei hun.

"Roedd hi'n methu'i ddiodda fo ar y dechrau, wedyn mi ddaeth y ddau yn eitha ffrindia. Cariadon, am wn i. . . dyna fu achos y ffrae fawr gyntaf rhwng Lara a'i thad. Dwi ddim yn meddwl y medrai Cadwaladr ddioddef gweld ei hogan fach yn tyfu'n wraig ifanc."

"Ga i ffonio'ch gŵr, Mrs Roberts, a gwneud un alwad deleffacs wedyn?"

Arweiniodd Elsie Tecwyn i'r stydi. Rhoddodd gadair ger y teleffacs, a throi i adael yr ystafell.

"Galwch pan fyddwch chi wedi gorffen."

"Diolch."

"Mae papur plaen i deleffacsio o dan un y tŷ."

Diflannodd Mrs Roberts. Edrychodd Tecwyn ar bapur ffacsio Cadwaladr Roberts; roedd wedi ei weld o'r blaen. Roedd llun pin ac inc o Blas yr Ynys arno.

Yn gyntaf, ffoniodd y Saunders a gofyn iddyn nhw gadw ystafell iddo ymhen wythnos union, ac i gadw unrhyw negeseuon ddeuai iddo tan y diwrnod hwnnw. Yn syth wedyn, anfonodd deleffacs i'r gwesty, ar bapur Cadwaladr Roberts, yn cadarnhau hynny.

Cafodd afael ar Cadwaladr Roberts yn ddidrafferth, a chafodd sioc ei fywyd yr un pryd, pan glywodd newyddion hwnnw. Roedd o'n dal yn Nhal-y-bont, ac roedd Cooper a'i ddynion newydd fod yno'n chwilio am Tecwyn, ac wedi'i holi yn galed yn sgil ffrwydriad Conwy.

"Ffrwydriad Conwy?"

"Mae'r twnnal wedi ei chwythu neithiwr. Saith wedi cael eu lladd, llanast y diawl yno a neb wedi hawlio cyfrifoldeb hyd yn hyn."

"Ac mi roedd o'n meddwl fod a wnelo fi rywbeth â hynny?"

"Yr amseru'n cyd-daro, medda fo. Dianc o Ddolgellau, wedyn yn syth i Gonwy. . . mi ddywedodd hefyd dy fod ti dan amheuaeth o ladd Lara. . ."

"Tydi hynna ddim yn wir. Nid fi lladdodd hi."

"Lle rwyt ti?"

Anwybyddodd Tecwyn ei gwestiwn.

"Wnewch chi un peth i mi?"

Roedd un peth yn sicr. Roedd yn rhaid i Tecwyn Eleias ddiflannu am ychydig ddyddiau. Pe na bai hynny ond iddo gael amser i ffendio llwybr allan o'r dryswch yma. Eglurodd yn fras i Cadwaladr beth oedd ei fwriad gan ddweud ei fod yn bwriadu cuddio yn y brifddinas, ac y deuai i gysylltiad ag o ar ôl cyrraedd.

"Mi fydda i mewn cysylltiad â chi ymhen diwrnod neu ddau."

Wedi taro'r ffôn yn ôl yn ei le, cofiodd Tecwyn am ddrôr uchaf desg Cadwaladr Roberts. Agorodd hi. Roedd bwndel o arian yno. Dros fil o bunnau. Rhoddodd nhw yn ei boced. Gallai dalu'n ôl rywbryd eto.

Cyn gadael Plas yr Ynys, diolchodd i Elsie Roberts,

a throdd drwyn y moto-beic tua'r gogledd. Ei fwriad cyntaf oedd dianc. Dim ots i ble, dim ond dianc, ac roedd Iwerddon cystal lle ag unman pe llwyddai i gyrraedd yno.

Ar y ffordd i Gaergybi y cafodd o'r syniad. Pan ddaeth hwnnw iddo yn gyntaf, chwarddodd gan feddwl mor wallgo yr oedd. Ond fel y dynesai at y porthladd, teimlai nad oedd o ddim yn syniad mor wirion wedi'r cwbl. Mae'n wir nad oedd *rhaid* iddo fynd, ond penderfynu mynd wnaeth o. Mynd i Bortiwgal.

Cyn byrddio'r hofrenfad yng Nghaergybi, prynodd amryw o'r papurau newyddion. Roedden nhw'n llawn o newyddion Conwy. Roedd llanast difrifol i'w weld yn y lluniau. Ceir a loriau wedi'u dal yng nghanol y ffrwydrad. Bwriad Tecwyn oedd croesi i Ddulyn, hedfan oddi yno i Baris a chael y trên cyflym neu awyren i lawr i Faro.

Roedd ym Mharis ymhen tair awr, a phenderfynodd aros awr a hanner arall yno i gael awyren i Faro. Doedd o ddim yn edrych ymlaen at siwrnai hir mewn trên. Bu ond y dim iddo roi'i droed ynddi wrth godi ticed hedfan i Faro.

Safodd gyferbyn â'r sgrin a llefaru ei enw a'i rif i'r meicroffon. Aeth y sgrin yn wag, fflachiodd goleuadau cochion a daeth dau *Gendarme* Interpol ato.

Blydi Cooper! Dyna'r geiriau cyntaf ddaeth i'w feddwl. Wedyn y gwawriodd arno nad oedd wedi pwyso'r botwm oedd yn dangos mai dinesydd o'r Zôn Gorllewinol ydoedd.

"Je suis désolé, Monsieur!. . . je n'ai pas compris le panneau. . ."

Gwasgodd un ohonynt res o fotymau, ac amneidio arno i ailgeisio. Cafodd gerdyn gwyrdd y tro hwn.

Bu gweddill y siwrnai'n ddidrafferth. Cafodd amser i gysgu ac i hel meddyliau. Fe wnâi ychydig ddyddiau yn yr haul fyd o les iddo.

* * *

Roedd Cadwaladr Roberts yn berwi gan gynddaredd. Unwaith eto, roedd pawb a phopeth fel pe baen nhw'n gweithio yn ei erbyn. Roedd Crass a Lieber ac yntau mor agos at lwyddo, a Pádraig yntau'n barod yn Iwerddon, felly pam ar wyneb y ddaear na allai'r holl broblemau aros am un wythnos arall?

Ac roedd Lara – a'r ymchwiliad i'w llofruddiaeth, wrth gwrs – yn hofran fel cysgod enfawr dros bopeth. A rŵan, rŵan fel pe na bai hynny'n ddigon, roedd ei broblemau yn ystod y dydd wedi lluosogi'n gyflym. Roedd yn rhaid iddo ddelio â salwch Elsie – roedd hi wedi gadael yr ysbyty; roedd Tecwyn Eleias nid yn unig wedi dianc o Ddolgellau ond hefyd yn cael ei amau o ladd Lara; ac roedd Lieber a Crass yn awyddus iawn i'r tri ohonyn nhw gyfarfod ar unwaith i drin a thrafod y dyfodol.

Lieber oedd wedi ffonio, ond roedd hi'n amlwg ei fod o a Harry Crass wedi cael sgwrs cyn hynny.

Gwyddai Cadwaladr Roberts nad oedd ganddo ddewis ond mynd dramor, ond pryd? Mi fyddai'n rhaid cael rhywun at Elsie, nyrs fwy na thebyg. Posib y gallai drefnu hynny cyn diwedd y prynhawn.

Doedd Eleias ddim yn broblem iddo fo. Mae'n debyg na fyddai'r heddlu'n hir cyn ei restio, ond doedd ei gynnig o i'r ditectif ddim wedi newid dim, yn wir efallai y byddai'r cyhuddiad yna yn ei erbyn yn ei anfon at Cadwaladr yn gynt. Roedd o eisoes wedi ffonio ac yn amlwg yn gweithredu'n gyflym o dan bwysau. Dyn da i'w gael mewn cyfyngder! Gwyddai Cadwaladr Roberts na allai'r heddlu ei ddal yn gyfrifol am ffrwydriad Conwy.

Fodd bynnag, ei broblem fawr o ar y funud oedd Lieber a Crass. Ni welai fod ganddo ddewis ond hedfan i'r Almaen i weld y ddau.

Y munud y penderfynodd o hynny, fe wnaeth y trefniadau'n syth. Wedi llogi'i sedd i hedfan i Bonn fe geisiodd o ddatrys problem Elsie. . .

* * *

Roedd haul poeth Portiwgal yn llosgi ar war Tecwyn wrth iddo ffonio Robin o faes awyr Faro. Gan fod bws yn cychwyn ymhen chwarter awr, doedd dim pwrpas gofyn i'w frawd ddod i'w gyrchu.

Fedrai Tecwyn ddim peidio â sylwi, wrth deithio ar y bws o Faro i Albuferia, ar y jyngl o adeiladau a lenwai bob twll a chornel. Adeiladau uchel yn crafu'r awyr las. Milltiroedd ar filltiroedd ohonynt. Llond y lle wedyn o bobol. Miliynau o bobol yn byw yn eu tyllau, ar wyliau yn eu tyllau, yn dianc i'w tyllau ac o'u tyllau.

143

A'r cyfan er mwyn yr haul! Ie, dyma Bortiwgal. Allor y bronnau brown.

"Tecs!"

"Robin!"

Doedd o ddim wedi newid dim ers pedair blynedd. Mymryn yn fwy brown, mymryn yn dewach hefyd efallai, ond yr un hen Robin. Ei wallt yn cilio a llond ei wyneb o wên.

"Sut siwrnai gest ti?"

"Iawn. Sut mae Martinez?"

"Siort ora. . ."

"A'r plant? Plant, medda fi. . . !"

"Pedro wedi mynd i Dde America ers tri mis, hefo'r Securitas, mae o'n gwarchod pobol bwysig. Rodriguez. . . fel ei dad, rhydd fel yr awel! Mae o'n gwerthu nwyddau yn Saudi Arabia."

"A be ydi hanes Gwenfron?"

Bu Robin yn dawel am rai eiliadau. Ciliodd y wên.

"Hogan dawel, rhy dawel. . ."

"Be ti'n feddwl?"

"Rhywbath mawr yn ei phoeni faswn i'n deud."

"Ydi hi'n iawn?"

"O yndi, mae hi wedi treulio'r rhan fwya o'i hamser ar y traeth. Tydi hi'n deud fawr ddim wrthan ni, a tydan ninna ddim yn lecio busnesu."

"Fedrwn i ddim egluro llawar wrthat ti ar y teleffacs, ond mae hi wedi bod drwy uffern yn ystod yr wsnosa dweutha 'ma. . ."

"Mae hi wedi mynnu talu. . ."

". . . ac mi ddylia hi. Mi gafodd ei ffrind ei mwrdro,

'sti."

"Rasmws gythral! Dim rhyfedd ei bod hi'n dawel!"

Bu Robin yn dawel eto am funud. Gallai Tecwyn rag-weld ei gwestiwn nesaf.

"Lle uffar wyt ti'n ffitio i hyn oll?"

"Stori hir, Robin. Uffernol o hir, a chymhleth. Dwi ddim yn dallt pob peth fy hun, ond mi dria i egluro cystal ag y medra i i ti."

Doedd Jason's Bar ddim wedi newid dim ers pedair blynedd. Yr un byrddau, yr un cadeiriau, yr un rhestr ddiodydd a'r un paent. Doedd Martinez ddim wedi newid dim chwaith. Roedd hi'n ddannedd ac yn groeso i gyd.

Roedd y lager yn oer ac yn felys.

"Mi arhosa i dridia neu bedwar os nad wyt ti'n meindio?"

"Meindio dim. Rhosa fwy os wyt ti isho. Mi fydd yn rhaid i ni gael o leia un sesh! I gofio'r hen ddyddia! E? Lle 'rhosi di, yma neu yn y *villa*?"

Gwenodd Tecwyn. Roedd y diawl bach yn 'sgota, ond chododd y sgodyn ddim.

"Mi fydd yna fwy o le yn y *villa*, os bydd Gwenfron yn fodlon."

Cafodd Tecwyn hamdden i gerdded o'r bar i'r *villa*. Roedd hi'n bedwar kilometr o daith, a'r haul yn boeth ar ei gefn. Roedd yn chwysu'n drwm pan gyrhaeddodd.

Doedd o ddim yn dŷ drudfawr, nac yn dŷ mawr, ond dros y blynyddoedd roedd Robin a Martinez wedi'i atgyweirio a'i foderneiddio. Gan eu bod yn byw uwchben Jason's Bar, mi fydden nhw'n gosod y *villa* i ymwelwyr neu ffrindiau.

Gwthiodd fotwm cloch y giât a gwaeddodd ar Gwenfron. Doedd Tecwyn ddim yn disgwyl y fath groeso. Rhedodd Gwenfron at y giât, ei hagor, a thaflu'i breichiau rownd ei wddf a'i wasgu'n dynn.

"Wooow! Arafa, wir dduwcs, neu mi fyddi di wedi fy mygu i!"

Laciodd hi mo'i gafael am rai eiliadau. Gallai Tecwyn deimlo gwres ei chorff drwy'i ffrog denau. Roedd o'n ymwybodol hefyd ei fod o'n laddar o chwys a'i fod yn dal mewn dillad trymion.

"Wo!"

Roedd hi'n chwerthin drwy'i dagrau. Roedd hi'n amlwg yn falch o'i weld, ac yntau'n falch o'i gweld hithau. Y blydi lwmp yna yn y gwddw eto! Llyncodd ei boer.

"Wyt ti'n iawn?"

Nodiodd.

"Yndw."

"Mae Robin yn poeni amdanat ti."

"Dwi ddim wedi bod yn gwmpeini da iawn, a 'nhwythau wedi bod mor dda tuag ata i."

"Jyst deud wrth basio ddaru o."

"Dwi wedi bod yn meddwl llawer. Dwi wedi cael lot o amser i feddwl."

Doedd Tecwyn ddim yn barod i ddechrau siarad eto. Rhoddodd ei fys ar ei gwefusau.

"Gawn ni siarad yn y munud. Dwi yma am 'chydig o ddyddia. Mae yna ddigon o amser i siarad. Am rŵan, dim ond un peth sydd ar fy meddwl i. Prynu trôns nofio a chael gwared â'r dillad afiach yma. Yna cael diod hir ac oer yn yr haul!"

Chwarddodd hithau.

"Dos di i siopa, mi wna i'r ddiod!"

Fuodd o ddim yn hir. Mi brynodd drywsus ysgafn, crys a phâr o drôns nofio. Mi brynodd hefyd ddwy botelaid o win cyn dychwelyd i'r *villa*.

"Fi sydd yma!"

"Dwi allan!"

Wedi newid ei ddillad, aeth allan ati. Roedd hi mewn gwisg haul lliw hufen ac yn lled-orwedd ar un o'r cadeiriau. Roedd bwrdd bychan yn ei hymyl a dau wydr a photel arno. Trodd pan glywodd sŵn ei droed. Gwenodd ac yna chwibanu.

"Lecio fo?"

Gwnaeth Tecwyn dro crwn cyfan. Chwibanodd drachefn.

"Dwi newydd roi dwy botel o *Mateus Rosé* yn y ffrij."

"Mae yna un oer yn fa'ma'n barod."

Tywalltodd ddau wydraid. Eisteddodd Tecwyn ar erchwyn y pwll a rhoi'i draed yn y dŵr. Roedd o'n fendigedig o oer. Cymerodd ddau sip o win a gorwedd ar wastad ei gefn. Gorwedd yn ôl a gadael i'w gorff socian yn yr haul. Doedd o ddim wedi sylweddoli tan y funud honno mor flinedig oedd o. Bu ennyd o dawelwch. Roedd o'n gwybod bod yn rhaid iddyn nhw siarad, a rhyw droi yn ei feddwl sut i gychwyn sgwrs oedd o pan ofynnodd Gwenfron,

"Lle ti'n aros?"

"Yma, os ca i?"

"Does yna ddim dillad ar yr ail wely."

"Mi gysga i ar lawr os bydd raid."

Roedd ei lygaid yn dal ynghau ac yntau'n hanner disgwyl ei hatebiad. Clywodd ryw las-chwerthiniad. Daeth cysgod rhyngddo a'r haul a chlywodd sblash anferth. Golchodd diferion oer o ddŵr drosto. Cododd ar ei eistedd. Roedd y ffrog ar lawr a Gwenfron yn y pwll. Aeth yntau i'w chanlyn.

Roedd y dŵr yn oer, a dadebrodd. Peryg y buasai wedi cysgu fel arall. Y fo aeth i'r lan gyntaf. Roedd wedi'i sychu ei hun ac yn paratoi i orwedd ar y gwely haul pan ddaeth Gwenfron o'r dŵr. Estynnodd y gwydrau a'r botel win a daeth i eistedd yn ei ymyl.

"Dim mwy na deng munud yn yr haul ar dy ddiwrnod cynta!"

"Iawn, mam! Iechyd da!"

Gorweddodd yn ôl unwaith eto a chau'i lygaid. Oedd, roedd haul Portiwgal yn boeth, boeth. Gallai'n hawdd iawn fod wedi cysgu ynddo, ond ffolineb fyddai hynny. Roedd yn bryd iddo ddechrau sgwrsio â Gwenfron. Cododd ar un benelin, a chan gwpanu'i ben yn ei law, edrychodd arni.

"Mae gen i newyddion drwg iawn i ti, Gwenfron."

Roedd yr ofn yn ei llygaid yn real, er ei bod yn ceisio swnio'n ddidaro.

"Newyddion drwg? I mi?"

"O ddifri rŵan. Newyddion am Mo. Mae o wedi'i ladd."

"Mo! Wedi marw!"

"Wedi'i lofruddio."

Bu'n dawel am funud, yna cododd ac aeth i mewn i'r *villa*. Gadawodd Tecwyn iddi am bum munud cyn mynd ar ei hôl. Roedd hi'n eistedd ar y soffa bren, ei gwydr yn un llaw ac yn rhythu'n syth o'i blaen. Pan ddaeth Tecwyn i'r ystafell trodd oddi wrtho.

"Mae'n ddrwg gen i fod wedi gorfod dweud wrthyt ti."

Distawrwydd. Gwyddai Tecwyn ei bod yn wylo.

"Wyt ti'n iawn? Gwenfron?"

Aeth ati, eistedd yn ei hymyl a gafael ynddi. Torrodd y fflodiart go iawn. Roedd hi'n crio o bwll ei stumog ac yn bwrw wythnosau os nad misoedd o bryder ac ofnau oedd wedi crynhoi o'i mewn. Gadawodd yntau iddi grio. Roedd ei dagrau'n gynnes ar ei fynwes. Ymhen rhai munudau daeth ati'i hun.

"Nid Lara oedd yr unig un i fynd i'r Saunders y noson honno."

"Be?"

"Fe es innau, a Meira hefyd."

"Hefo'ch gilydd?"

"Ia. Roedd yna dri chleient yno, un yr un."

"Ddywedaist ti hynny wrth yr heddlu?"

"Naddo. Mi fasa Mo wedi fy lladd i. Mi roddodd o rybudd i ni be oeddan ni fod i'w ddweud a be oeddan ni ddim i'w ddweud."

"Wyt ti'n gwybod pwy oedd y cleients?"

"Roedd llun fy nghleient i yn yr *Utgorn* ryw ddau ddiwrnod wedyn."

"Pwy oedd o?"

"Rhyw ddyn busnas. . ."

"Wyt ti'n gwybod pwy oedd y lleill?"

"Dim syniad."

Crynhodd y dagrau eto ac ailddechreuodd wylo. Cododd Tecwyn hi yn ei freichiau a'i chario i'r stafell wely. Rhoddodd hi i orwedd ar y gwely. Caeodd y drysau oedd ar y ffenestr nes bod yr ystafell yn lled dywyll. Cododd hithau ei dwylo i sychu'i llygaid. Roedd hi'n eneth brydferth, fedrai o ddim peidio â sylwi ar hynny. Fedrai o ddim peidio â sylwi chwaith ei bod hi wedi dal yr haul. Roedd hynny'n amlwg yn lled-dywyllwch yr ystafell.

"Oes yna rywbeth arall wyt ti'n ei gofio, neu isho'i ddweud wrtha i?"

Edrychodd Gwenfron i fyw ei lygaid.

"Mae gen i ofn, Tecs! Mae gen i ofn. Yn gynta Lara, rŵan Mo. Ai fi fydd y nesa?"

Gwenodd yntau arni.

"Rwyt ti'n ddigon saff, paid â phoeni."

Wyddai o ddim a oedd hynna'n ei hargyhoeddi hi ac yn tawelu ei meddwl, ond roedd meddwl Tecwyn ar wib wyllt. Fel arfer mi fuasai ar dân eisiau dychwelyd i Gaerdydd i godi trywydd cleient Gwenfron y noson y lladdwyd Lara, ond am ryw reswm doedd yr awydd i godi a mynd ddim ynddo o gwbl. Roedd arno eisiau amser i feddwl. Amser i droi pethau rownd a rownd yn ei ben. Amser i ddidoli'r darnau ac i geisio gwneud synnwyr o'r cyfan. Cymerodd gam at y patio, gan feddwl eistedd yno am ychydig tra oedd Gwenfron yn dod ati'i hun. Clywodd ei llais yn dod o'r tu ôl iddo.

"Tecs! Paid â 'ngadael i. Plîs. . . paid mynd."

Aeth yn ôl ati ac eistedd ar y gwely. Gwnaeth gwpan â'i ddwylo a gafael yn ei hwyneb. Edrychodd i fyw ei llygaid. Gafaelodd hithau yn ei ddwy law, eu tynnu oddi ar ei hwyneb a'u gosod ar ei bronnau. Mewn eiliadau, fe aeth yn storm o gnawd.

Pan ostegodd, gorweddai Tecwyn ar ei mynwes fel baban bychan. Gafaelodd yn dynn ynddi, a chan gau'r byd a'i bethau o'u meddyliau, aeth y ddau i gysgu'n sownd.

Pan ddeffrôdd Tecwyn, roedd hi'n nos. Gallai ogleuo'r nos. Estynnodd ei law at y bwrdd oedd wrth erchwyn y gwely a chlecian swits y golau. Roedd Gwenfron yn edrych arno. Ddywedodd yr un ohonynt air am yn hir, dim ond siarad â'u llygaid. Agorodd Gwenfron ei cheg fel pe bai ar fin dweud rhywbeth mawr, ond ni ddaeth gair allan. Roedd o'n amau beth ydoedd. Rhoddodd ei fys ar ei gwefusau ac ysgwyd ei ben yn ysgafn a gwenu.

Gafaelodd yn ei ben â'i dwy law a'i gusanu'n llawn ar ei wefusau. Aeth ias i lawr asgwrn ei gefn. Fedrai o ddweud dim na gwneud dim ond ymateb. Roedd ei hangerdd yn codi chwys oer i'w dalcen. Doedd o ddim wedi teimlo fel hyn ers. . . ers. . .

Doedd o ddim eisiau teimlo fel hyn. Roedd o eisiau sgrechian nerth esgyrn ei ben. Roedd o eisiau ymladd ei deimladau, bod yn drech na nhw, ond ni fedrai. Roedd o eisiau gweiddi "Na! Gwenfron, na!" ond ni fedrai. Fedrai o ddim am ei fod o'n ildio iddi hi. Y fo! Roedd o'n teimlo ei gafael arno yn llwyr.

8

Gydag ochenaid o ryddhad, gollyngodd Cadwaladr Roberts ei hun i sedd yr awyren. Roedd ar ei ffordd adref o Bonn, ac roedd ofnau Lieber a Crass wedi'u lleddfu.

Roedd Cadwaladr yn ei longyfarch ei hun. Pan fyddai raid, mi roedd o'n uffar o foi! Ac mi roedd o'n haeddu dogn helaeth o wisgi ar ôl hynna i gyd.

Edrychodd ar ei oriawr. Byddai ym Manceinion ymhen awr a chwarter, ac yn ôl ym Môn ymhell cyn hanner dydd.

Ymholiadau'r heddlu oedd yn poeni'r ddau yn yr Almaen, ond sicrhaodd Cadwaladr nhw mai rwtîn oedd y cyfan. Roedd o wedyn wedi apelio at chweched synnwyr pob gŵr busnes – gwneud pres – lot o bres!

" 'Rarglwydd, fedrwch chi ddim cracio rŵan! Mae'r *flotation* o fewn wythnos!"

Roedd o wedyn wedi bod yn gythraul drwg. Roedd o wedi cyfeirio at farwolaeth Lara, a nodi – nage, edliw iddyn nhw – fel yr oedd o'n brwydro drwy broblemau personol i gadw i fynd a pheidio gwangalonni. Fe soniodd am Elsie a'i helbulon hithau. . .

Roedd Lieber gant y cant y tu ôl iddo. Harry Crass oedd y gwannaf, ond erbyn diwedd y cyfarfod a barodd am awr a hanner, roedd Crass yntau'n fodlon ac yn hanner ymddiheuro fod Cadwaladr Roberts wedi gorfod gwastraffu darn o brynhawn a bore i hedfan allan atyn nhw.

"Cost hedfan o Gaerdydd i Bonn ac yn ôl fydd fy nghostau cyntaf yn erbyn y cwmni newydd!" meddai Cadwaladr a gwên ar ei wyneb. Chwerthin ddaru'r ddau arall hefyd.

Doedd o ddim yn siŵr a oedd y gambl arall yr oedd ar fin ei chymryd yn mynd i weithio. Roedd yn bwriadu ffonio'r heddlu ar ôl cyrraedd a chynnig gwobr ariannol am ddal llofrudd Lara. Un bwriad oedd ganddo wrth wneud y fath gynnig. Cyflogi Tecwyn Eleias.

* * *

Llithrodd deuddydd i rywle – wyddai Tecwyn na Gwenfron ddim i ble, ond doedd dim ots. Bu'r ddau'n gorwedd yn yr haul, yn cerdded traethau, yn nofio, bwyta, ac yn gwneud popeth y byddai dau gariad yn ei wneud. Mewn gair – mwynhau.

Y drydedd noson, roedd Tecwyn yn gorwedd yn y gwely a'i feddwl yn corddi. Gwyddai na allai Portiwgal barhau am byth. Cyn i huwcyn ei oddiweddyd, roedd wedi penderfynu beth i'w wneud nesaf. Yn y bore roedd yn bwriadu ffonio Bob, ac mi wyddai'n union beth fyddai ei ymateb o i glywed ei lais.

Roedd yn llygad ei le.

"Blydi hel, Tecs! Rwyt ti'n mentro! Mae yna APB ryngwladol wedi'i chyhoeddi arnat ti!"

"Be!"

"Mae Cooper wedi dy enwi di fel un o'r Meibion fuodd yn gyfrifol am chwythu twnnal Conwy, ac mae ganddo fo dystiolaeth mai ti laddodd Lara. Mae'i thad wedi cynnig deng mil o bunnau o wobr i bwy bynnag sy'n dy ddal di!"

"Y basdad iddo fo!"

"Be uffar wyt ti wedi bod yn ei wneud?"

"Dim! Diawl o ddim! Tydw i wedi cael fy nal yn y canol. Yli, oes gen ti rif ffacs?"

"Oes, pam?"

"Mi sgwenna i be dwi'n wybod, ac mi cei di o i gyd. Un peth leciwn i chdi wneud."

"Na, Tecs! Dim byd! Paid â gofyn, wedyn fydd dim rhaid i mi wrthod."

"Ond mae o'n bwysig, Bob. Yn bwysig uffernol. Mae'n rhaid i mi gael copi o'r *Utgorn Dyddiol* dau ddiwrnod ar ôl i Lara Roberts gael ei lladd. Mae yna stori ynddo fo a llun dyn busnes; wnei di deleffacsio'r stori i mi? Os oes yna fwy nag un stori, gyrra nhw i gyd. Wedyn, yn fy nghar i. . ."

"Aros di funud! Mae dy gar di dan gontrôl fforensig. Fiw i mi fynd yn agos ato fo heb reswm. . ."

Chymerodd Tecwyn ddim sylw ohono.

"Mae yna negeseuon yn fy nghes i. Negeseuon ffacs ges i tra oeddwn i'n aros yn y Saunders cyn cael fy restio. Plîs, Bob, wnei di ffacsio'r cyfan i mi? Mae'n bwysig 'mod i'n eu cael nhw!"

Bu distawrwydd am ennyd.

"Mae isho sbio ar fy mhen i. Be uffar ydi dy rif ffacs

di? A lle ddiawl wyt ti'n cuddiad?"

"Mi fedra i roi fy rhif ffacs i ti, ac os wyt ti isho, mi fedri edrych y cod yn y llyfr, ond mae gen i syniad y basa'n well gen ti beidio gwybod lle ydw i. Fydd dim rhaid i ti ddeud celwydd wedyn, yn na fydd?"

Gallai Tecwyn ei deimlo'n gwenu. Rhoddodd rif Robin iddo. Pan ddeuai'r ffacs, mi fyddai dau ddarn arall o'r jig-sô yn disgyn i'w lle.

Bu'n rhaid i Tecwyn aros tridiau cyn derbyn ateb. Trwy gydol yr amser hwnnw, bu Gwenfron ac yntau'n siarad ac yn mwynhau cwmni'i gilydd. Fuodd o erioed mor agored gyda neb am ei fywyd nac am ei deimladau. Ddim hyd yn oed gyda Lara. Bu hithau yr un mor agored wrtho yntau. Ar ei waethaf, roedd o'n cael ei dynnu ati. Ar ei waethaf, mi fyddai'n dychmygu weithiau mai yng nghwmni Lara yr oedd, a deuai rhyw don o euogrwydd dieflig drosto.

Bu Tecwyn yn troi a throsi ac yn trin a thrafod pob tamaid o wybodaeth oedd ganddo gyda hi a Robin, a phawb yn cynnig ei ddamcaniaeth ei hun, ond doedd y dryswch ddim cliriach. Efallai y teflid rhywfaint o oleuni ar y dryswch pan ddeuai ffacs Bob.

Robin ddaeth â'r ffacs iddo. Cryn ddwsin o ddalennau i gyd, wedi eu hanfon rywdro yn ystod y nos. Roedd tair stori a thri llun o wŷr busnes yn yr *Utgorn*. Darllen un o'r straeon hynny oedd Tecwyn pan fferrodd ei waed. Roedd y peth yn glir o'i flaen. Roedd y darnau'n disgyn i'w lle, fesul un ac un. . .

Bu'n ysgrifennu drwy'r bore. Erbyn amser cinio, roedd llith ugain tudalen yn barod ganddo.

Roedd Tecwyn wedi penderfynu dychwelyd i Gymru y diwrnod hwnnw, gyda rhybudd penodol i Robin: os na fyddai wedi cysylltu ag o ymhen union ddeuddydd, roedd i deleffacsio'r llith i gyd at Bob, yna postio'r cyfan i swyddfeydd *Yr Utgorn Dyddiol*. Ar hyn o bryd, roedd yn well ganddo weld Gwenfron yn aros ym Mhortiwgal.

Aeth Gwenfron gydag ef i'r maes awyr. Pur dawedog fu'r ddau ohonynt gydol y siwrnai.

"Mi ffonia i di cyn gynted ag y bydd petha drosodd."

Wnaeth o ddim troi'n ôl wrth gerdded at yr awyren. Roedd o eisoes yn cynllunio yn ei ben beth i'w wneud ar ôl cyrraedd Cymru. Roedd un peth yn sicr, os oedd Ewropol yn chwilio amdano, fe allai gael ei restio cyn cyrraedd adre. Dyna pam y rhoddodd o'r llith i Robin.

*   *   *

Pan gyrhaeddodd Sami yn ôl o Gaerdydd, roedd tempar y diawl ar Cooper. Roedd y dyddiau'n llithro heibio fesul un a doedd o ddim nes tuag at ddal Eleias nac at ddatrys dirgelwch ffrwydriad twnnel Conwy. Ond nid dyna'r rheswm pam fod Cooper yn berwi.

Roedd o a'i ddynion wedi bod trwy ffeils y Meibion â chrib fân. Doedd yna ddim byd, ar wahân i fusnes Sianco Tudur, a chyfeillgarwch Eleias â Cadwaladr Roberts, yn ei gysylltu â'r Meibion. Damcaniaeth yn unig oedd aelodaeth Cadwaladr Roberts o'r Meibion, er bod mwy nag un adroddiad yn awgrymu ei fod o'n un o'r prif ddynion.

Ond nid dyna'r prif reswm pam fod Cooper yn wyllt gandryll. Roedd papur wedi glanio ar ei ddesg y bore hwnnw yn nodi'r galwadau a wnaed trwy ogledd Cymru i'r *Central Control* yn ystod yr wythnosau a aethai heibio, ac roedd yna un yn nodi ei fod o, y *fo*, Allistair Cooper, wedi gofyn am gyfeiriad i rif ffôn Mo Tarrant! A hynny ar yr union ddyddiad y lladdwyd Mo!

"Y basdad Tecwyn Eleias yna oedd o!" bytheiriodd Cooper wrth Sami. "Pwy arall fasa isho rhif ffôn Mo? A phwy arall fasa'n gwybod sut i fynd drwadd i *Control*?"

"Fedra fo ddim mynd drwadd, syr! Mae'r cod yn newid. . ."

"Mae'n rhaid felly ei fod o wedi cael help o'r tu mewn, Sami. . . wedi cael help oddi yma. Mae'n amlwg na ddaru Bob ddweud popeth wrthym ni."

"Mi ddeudodd wrthym ni lle roedd Eleias, ac mi ddeudodd ei fod o wedi ffacsio petha iddo fo i Bortiwgal."

"Mae'n siŵr ei fod o'n gwybod fod Eleias wedi ffoi o fan'no cyn dweud wrthym ni! Y cwd gwirion iddo fo! Yn ffacsio petha i ddyn oedd ar ffo. Mae isho sbio'i ben o, oes wir dduwcs!"

"Be oedd y papura ffacsiodd o?"

Taflodd Cooper bentwr o bapurau at Sami.

"Ffacsys gan Cadwaladr Roberts, adroddiadau papur newydd. Llunia rhyw ddynion busnas. . ."

Arhosodd yn sydyn. Cododd ei olygon ac edrych un waith ar Sami. Plygodd yn ei flaen, ac estyn un o'r dalennau papur. Edrychodd ar y stori yn y papur newydd, a lluniau tri gŵr. Edrychodd eto ar enwau'r dynion. Aeth â'r adroddiad oddi wrth y bwrdd ac aeth at y dogfennau oedd wedi eu hau ar hyd y wal. Daliodd yr adroddiad gyferbyn ag un o adroddiadau'r heddlu, a rhoddodd ddau fìn bawd ynddo. Yna troes at Sami.

"Arglwydd mawr, Sami! Mae o yn fa'ma, sbia! Mae o yn fa'ma mor glir â'r haul ganol dydd! A ninna ddim wedi'i weld o!"

Daeth Sami draw ato ac edrych ar y dalennau papur oedd Cooper yn eu studio ar y wal.

"Mae o ar ei ffordd 'nôl o Bortiwgal! Mi alla i deimlo'r peth ym mêr fy esgyrn. Tyrd, mi awn ni i sir Fôn, a gobeithio i'r cythral nad ydan ni'n rhy hwyr!"

9

GAFAELODD ELSIE ROBERTS yn dynn yn y bocs cardfwrdd.
Gwasgodd ef i'w mynwes, a dechreuodd ganu,

"Chlywodd neb y gog eleni
Ar hen dderi mawr y ddôl.
Ond i honno ddechrau canu,
Haws it wenu ar ei hôl;
Dweud o hyd y mae 'nghyfeillion,
Dyna'r unig gysur gaf. . ."

Arhosodd am eiliad. Roedd hi'n ymwybodol fod
rhywun yn edrych arni. Edrychodd o'i hamgylch.
Doedd yna neb yn yr ystafell o gwbl. Doedd yna ddim
byd yn yr ystafell, dim ond y gwely, y bwrdd bach a'r
gadair.

Roedd hi ar y gwely, roedd ei dillad ar y gadair a
dim ond jwg, llyfr a gwydr oedd ar y bwrdd.
Edrychodd unwaith eto. Na, doedd yna neb yn yr
ystafell.

Edrychodd unwaith ar y panel gwydr yn y drws, ond
doedd dim byd i'w weld trwy hwnnw, dim ond
adlewyrchiad o'r darlun oedd yn crogi ar y wal y tu
cefn iddi.

Gwenodd. Gwasgodd y bocs yn dynnach i'w

mynwes, ac ailddechreuodd ganu,

"Cwyd dy galon, eneth dirion,
Mi fendi di pan ddaw yr haf. . ."

Yr ochr arall i'r panel gwydr roedd Cadwaladr
Roberts a Dr Thomson yn edrych arni. Doedd y doc-
tor ddim yn un i ddal ar ei eiriau. Rhoddodd law ar
ysgwydd Cadwaladr Roberts a dweud,
"Mi fydd hi yma am sbel go hir, mae gen i ofn,
Cadwaladr."

*   *   *

Roedd Tecwyn wedi trefnu'r cyfan yn ei ben. Y peth
cyntaf i'w wneud oedd gweld Cadwaladr Roberts ac
egluro iddo ei fod o'n amau pwy oedd llofrudd ei ferch.
Wedyn, gyda lwc, gallai fynd at Cooper o'i wirfodd.
Dychwelodd i Gymru yr un ffordd ag y gadawodd –
drwy Ddulyn. Cerddodd heibio i nifer o blismyn, ac
ni syflodd yr un ohonyn nhw wrth iddo basio. Roedd
hi'n dechrau nosi pan gyrhaeddodd gatiau Plas yr
Ynys.
Roedd y cŵn yn cyfarth wrth iddo bwyso botwm y
weleffon. Cadwaladr Roberts ei hunan atebodd. Roedd
o'n swnio'n feddw.
"Ia?"
"Tecwyn Eleias."
Clywodd chwibaniad uchel. Diflannodd y cŵn ac
agorodd y gatiau. Cerddodd Tecwyn at y drws. Roedd

Cadwaladr Roberts yno'n ei ddisgwyl. Dilynodd Tecwyn ef i'w stydi. Estynnodd Cadwaladr dri gwydryn a fflagon o wisgi. Tywalltodd o'r fflagon yn ofalus. Edrychodd ar gynnwys y gwydrau.

"Dalwhinney! Wisgi gorau'r byd!"

Rhoddodd un o'r gwydrau yn llaw Tecwyn a throdd yn ei ôl at ei ddesg. Gafaelodd mewn cas lledr.

"Wyddost ti beth sydd yn hwn?"

Doedd o ddim yn disgwyl ateb. Roedd o'n bwriadu ateb y cwestiwn ei hun. Rhoddodd ei wisgi i lawr ar ei ddesg ac agorodd y cas. Tynnodd ddau bistol ohono.

"Dyma i ti ffordd uchelwyr o setlo pethau. Pistolau o'r bedwaredd ganrif ar bymtheg, ond yn dal i weithio fel pe baen nhw'n newydd sbon. . . powdwr. . . a phelen blwm. . ."

Rhoddodd un o'r pistolau'n ôl yn y cas. Anelodd y llall at Tecwyn.

"Mi fasa'r belen blwm yma'n mynd drwyddat ti fel cyllell drwy fenyn. Rŵan, be s'gin ti i'w ddweud wrtha i? A dyro un rheswm da i mi pam na ddyliwn i ffonio'r polîs."

"Lle'r ydach chi isho i mi ddechra?"

"Dechreua drwy fy argyhoeddi i nad y ti laddodd Lara! Mi roedd ffeithiau Cooper yn rhai dadlennol iawn."

Gwgodd Tecwyn, a chymerodd ddracht hir o'r wisgi.

"Mae'r hyn dwi wedi'i ffendio yn fwy dadlennol fyth!"

"Wel?"

Chwifiodd Cadwaladr y pistol yn ddiamynedd. Dechreuodd Tecwyn hel ei feddyliau.

"Hwran oedd Lara. Hwran ddosbarth-canol Gymraeg."

Gallai Tecwyn weld Cadwaladr yn gwingo. Gollyngodd ei fraich a'r pistol i'w ochr. Aeth at y ddesg, a gosod y pistol yn ôl yn y cas. Aeth Tecwyn yn ei flaen.

"Roedd hi a genod eraill yn cael eu rheoli gan ddyn o'r enw Tarrant, Mo Tarrant, ac roedd ganddo fo gwmni o'r enw Canton Escorts. Dyna oedd yr enw posh ar y genod. . . escorts. Mi fyddai gwahanol gleients yn ffonio Mo, byddai yntau'n gyrru'r genod atyn nhw, am bum cant y noson. Cant a hanner i'r genod, a'r gweddill i Mo."

Roedd o'n tywallt ail wydraid iddo fo'i hun. Chafodd Tecwyn ddim cynnig.

"Un noson fe gafodd tair o'r genod alwad i'r Saunders. Tri chleient pwysig. Dyna'r noson y cafodd Lara ei lladd. Un o'r cleients yma a'i lladdodd hi!"

Diflannodd yr ail wydraid mewn un llwnc.

"Roeddwn i ar fin darganfod a oedd Mo yn cadw ffeiliau ar ei gleients, pan gafodd yntau ei ladd – ei fwrdro – ond cyn marw, fe sgwennodd rywbeth yn ei waed ei hun."

"Mi ddangosodd Cooper y llun imi. Enw Lara, a dy enw di!"

"Nid dyna'n union sgwennodd Mo. Mi sgwennodd yr hyn gredais i oedd yn LARA ac NC. Cyn tynnu'r llun gan Cooper, fe newidiodd rhywun yr NC yn TE, sef llythrennau cynta fy enw i."

"NC?"

"Mi fues i'n pendroni'n hir uwch ei ben. Wedyn

trawodd o fi. Nid LARA oedd Mo wedi'i sgrifennu."

"Be? Be ti'n feddwl? Mi welais i'r llun. . ."

"Roedd LAR yno. . . ond L! L am Lieber, Lieber. . . mi rydach chi'n ei nabod o? Mr Heinrich Lieber?"

"Wrth gwrs 'mod i. Fo ydi'r partner newydd."

"Lieber a Roberts. . . L.A.R.! Rhan o enw cwmni newydd, yn ôl *Yr Utgorn Dyddiol.*"

Cododd ei ysgwyddau.

"Be uffar fyddai diddordeb Mo yn L.A.R.?"

"Dywedwch chi wrtha i. Yr Almaen a Chymru yn dod at ei gilydd. Dau gwmni'n cael eu fflotio ar y Gyfnewidfa Stoc. Beth oedd diddordeb Mo yn L.A.R.?"

Edrychodd Cadwaladr Roberts yn hir arno. Faint oedd Eleias yn ei wybod go iawn, wyddai o ddim, ond roedd yna rai pethau na fedrai eu dirnad.

"Ti ddim yn dallt! 'Dan ni yn fa'ma yn sôn am fusnas mawr. . . MAWR. . . Mae yna fisoedd, naci dallta, blynyddoedd o gynllunio wedi mynd tuag at hyn. A dyma ni o fewn cyrraedd y fflotêshyn. Fedra i ddim gadael i ddim. . . DIM. . . ddod rhyngddon ni a. . ."

"Dim hyd yn oed marwolaeth eich merch?"

Roedd honna'n brifo, a dyna'r bwriad. Llyncodd Cadwaladr ei boer ac anadlodd yn gyflym. Roedd o'n amau fod Tecwyn yn gwybod mwy, ond faint mwy wyddai o ddim.

"Dowch i ni ddamcaniaethu am funud beth fasa fflotêshyn llwyddiannus yn ei olygu i chi, Cadwaladr. Ugain miliwn o gyfranddaliadau, gwerth deg punt yr un? Mae'n siŵr y byddech chi a Lieber yn cadw o leia hanner y siârs, pum deg un y cant? Ond hyd yn oed wedyn mi gaech faint? Dau gan miliwn rhyngoch?"

Gwenodd Cadwaladr. Roedd o dan yr argraff mai dyna'r cyfan oedd gan Tecwyn. Aeth ar gefn ei geffyl.

"Yn y busnes yma, tydi dau gan miliwn yn ddim! A chofia di fod canran dda o elw'r busnes yma'n mynd i goffrau'r Meibion."

"Mi ddown ni at y Meibion yn y funud. Tydi dau gan miliwn ddim yn llawer, meddech chi, ond mi allai fod yn fwy. Yn llawer, llawer mwy!"

Roedd wyneb Cadwaladr yn newid ei liw. Roedd o'n bacio'n ôl.

"Beth allai godi gwerth eich siariau chi a Lieber?"

Atebodd o ddim, dim ond edrych a rhythu i unman.

"Ydi'r enw Syr Harry Crass yn golygu rhywbeth i chi?"

"Wrth gwrs ei fod o, fo ydi Cadeirydd yr. . . yr. . ."

". . . yr I.N.C.? Cwmni sy'n cyflogi deugain mil o weithwyr, cwmni a wnaeth ei ffortiwn trwy adeiladu ffyrdd yn y gwledydd cyn-Gomiwnyddol. Cwmni a dderbyniodd gwerth tri-ugain biliwn o bunnau o waith adeiladu ffyrdd gan lywodraethau gwahanol wledydd y llynedd. . ."

"Mae hynna'n wybyddus i bawb sy'n darllen y papurau neu'n gwrando ar y newyddion busnes."

"Ond beth ydi diddordeb Harry Crass yn L.A.R.? A pham roedd Harry Crass yng Nghaerdydd y noson y bu farw Lara?"

"Ond. . ."

"Roedd Heinrich Lieber yng Nghaerdydd y noson y bu farw Lara! Ac roedd Cadwaladr Roberts hefyd yng

Nghaerdydd y noson y llofruddiwyd ei ferch."

Cochodd, yna gwelwodd.

"Yli, Tecwyn, roeddwn i. . . roeddwn i'n gwybod fod Lieber yn cefnogi Grŵp Albrecht. Grŵp sy'n wrthwynebus i'r syniad a'r modd y mae tramorwyr yn rheoli busnesau mawrion yr Almaen, ac roedd Lieber yn gwybod am fy nghysylltiad innau â'r Meibion. Mae Lieber a minnau wedi cael syniad allai ariannu newidiadau sylfaenol yng Nghymru a'r Almaen. Yr un pryd, fe gawson ni fflach o weledigaeth. Y syniad ydi aros am chwe mis wedi'r fflotêshyn, wedyn bydd Harry Crass yn anfon sibrydion drwy'r prifddinasoedd fod gan yr INC ddiddordeb mewn cymryd LAR drosodd. Mi fydd prisiau'r siariau'n llamu, yn treblu o leia, ac mi fyddwn ninnau'n dadlwytho bron y cyfan a feddwn. Mi fydd Crass yn gwneud datganiad wedyn nad oes gan INC ddiddordeb, mi fyddwn ninnau'n cyhoeddi ffigurau chwe-misol yn dangos colledion anferthol, mi fydd prisiau'r siariau yn gostwng a ninnau'n eu prynu'n ôl am chwarter eu pris gwreiddiol."

"Faint fydd eich elw chi?"

"Mae Crass i dderbyn pum miliwn, a'r Meibion a Grwp Albrecht i rannu efallai pum biliwn!"

"Allwch chi byth lwyddo!"

"Cynllun gwreiddiol y Meibion ydi o. Wyt ti ddim yn gweld? Bomio Castell Caernarfon, Tryweryn, twnnel Conwy. Creu ofn a dychryn ar y Saeson sydd wedi gwladychu yma. Y munud y dechreuan nhw banicio a gwerthu, mi fydd y Meibion yn barod. Rhan o'r strategaeth ydi y byddwn ni'n ailddechrau prynu, fesul siop, fesul tafarn, fesul tŷ. Defnyddio arian barwniaid barus y farchnad arian ryngwladol i brynu'n tir yn ôl. Oes gen ti syniad faint o dir a thai bryni di â phum biliwn o bunnau?"

"Fe wyddoch ei bod yn rhy hwyr."

"Tydi hi byth rhy hwyr i'r Meibion! Iesu bach, rydan ni'n barod. Mae popeth wedi'i drefnu. Mae hyd yn oed yr iaith Wyddeleg i dderbyn miliwn o bunnau i'w chryfhau hi yn Baile Fearst. Mae Pádraig, un o brif ddynion yr United Allied Irish, yn handlo'r siârs i ni. . ."

Roedd o wedi cael ei draed dano, ac yn teimlo'n eofn i gyd.

"Mi ddaru chi gyfarfod Lieber a Crass yn y Saunders?"

Ymdawelodd.

"Do."

"Be ddigwyddodd?"

"Mi dderbyniodd Crass y cynllun, ar yr amod ei fod o ar ei wyliau pan fyddai'r sibrydion yn cychwyn yn y dinasoedd."

"Ymhle ddaru chi gyfarfod?"

Edrychodd arna i mewn penbleth.

"Yn y Saunders. . ."

"Ymhle yno?"

"Yn ei stafell o. . ."

"Faint ohonach chi?"

"Tri ohonon ni. . ."

"Neb arall?"

"Neb."

Saib.

"Roeddach chi'n nabod Mo Tarrant?"

"Oeddwn. . . nac oeddwn. . . Rici oedd yn ei nabod o."

"Y chi ffoniodd Mo, y noson y lladdwyd Lara?"

Ochneidiodd.

"Ie."

"A chi oedd yn fflat Mo y noson y cafodd yntau'i ladd?"

"Nage!" gwaeddodd yr ateb i wyneb Tecwyn. "Nage," meddai'n dawelach, cyn ychwanegu, "Arglwydd! Rwyt ti wedi mocha petha, yn do?"

"Be 'dach chi'n feddwl?"

"Roeddat ti wedi dy dargedu fel recriwt posib i'r Meibion pan glywson ni am Sianco Tudur. Doedd byw na marw na châi'r Meibion Tecwyn Eleias yn eu rhengoedd; dyna pam y dois i atat ti dair blynedd yn ôl. Dechrau'r daith recriwtio oedd hynny i fod, ond mi ddaru Rici focha'r cyfan. Rici a Lara. Fe gest ti lonydd oherwydd hynny, ond pan ddaeth yn amlwg fod Cooper a'i ddynion yn dod yn nes at ein dal, roedd yn bwysig i ni gael rhywun fel ti, rhywun oedd yn meddwl fel Cooper, rhywun oedd yn deall yr heddlu, deall holl ystrywiau Cooper. . ."

"Wrth gwrs! Y chi! Roeddech chi yng Nghaerdydd y noson y lladdwyd Mo Tarrant. O Gaerdydd yr anfonwyd y ffacs i'r Saunders ata i y noson honno, nid o Blas yr Ynys. Chi oedd yr unig un wyddai 'mod i'n mynd i fflat Mo. Chi, neu eich dynion chi, laddodd o, yntê? Pam? Pam, Cadwaladr Roberts? Pam fod yn rhaid i Mo Tarrant farw?"

"Dwyt ti ddim yn dallt."

"Nac ydw?! Nac ydw i wir! Beth allai Mo Tarrant fod wedi'i ddweud wrtha i fyddai'n peri i Cadwaladr Roberts ei ladd? Rhywbeth am y noson y lladdwyd Lara? Tybed a fyddai Mo wedi datgelu pwy oedd y tri chleient? Pwy ydach chi'n ei amddiffyn, Cadwaladr Roberts? Lieber? Neu Harry Crass? Neu chi'ch hun?"

Rhoddodd Cadwaladr Roberts ei ben yn ei ddwylo mewn anobaith. Symudodd ei fysedd dros ei glustiau, ond roedd artaith y geiriau'n dal i ddod o enau Tecwyn.

"Mae gennych chi enw fel merchetwr, yntoes? Lara ddywedodd hynna wrtha i. Be ddaru chi? Gofyn i Mo drefnu tair escort? Un yr un i chi?"

"Fy merch fy hun. . . yn gwerthu'i chorff. . ."

"Disgwyl hwran oeddach chi. . . a phan ddaeth hi, ffendio mai Lara oedd hi?"

". . . ar ôl yr holl drefnu. . ."

"Be ddaru chi, ei thagu hi?"

Cododd ei ben yn sydyn a bloeddiodd.

"Ia! Ia! Ia! Ei thagu hi. . . gwasgu'i gwddw hi. . . y bitsh! Gwasgu nes aeth hi'n llipa. . . yn llonydd. . ."

Hyd at y foment honno, roedd Tecwyn wedi teimlo'n gwbl hunanfeddiannol, yn teimlo'i hun yn rheoli yn union fel y dysgwyd iddo yn y Ffôrs. Yn sydyn, cerddodd oddi wrth Cadwaladr Roberts at y ddesg. Ni fedrai egluro pam, ond roedd dagrau poethion yn sboncio i'w lygaid. Cododd un o'r pistolau a'i anelu at Cadwaladr Roberts.

Fedrai Tecwyn ond dychmygu beth oedd yn mynd drwy feddwl y naill a'r llall y noson honno. Y tad yn disgwyl hwran ac yn gweld ei ferch. Y ferch yn disgwyl cleient ac yn gweld ei thad. Ond doedd dim ots beth oedd ym meddyliau'r ddau. Dim ond un peth oedd yn bwysig.

Clywodd y ddau ddyn y sŵn yr un pryd. Sŵn cerbydau trymion, a sŵn y gatiau'n malu. Roedd Cooper a'i ddynion wedi cyrraedd. Doedd hwnnw ddim wedi aros wrth y gatiau o gwbl.

Cawsai Cooper neges yn y car fod Tecwyn Eleias wedi'i weld ym maes awyr Dulyn. Roedd lluniau fideo yn dangos iddo lanio ar y fferi cyflym yng Nghaergybi awr a hanner ynghynt.

Roedd Cooper a Sami wedi dreifio fel cath i gythraul, a char Cooper chwalodd gatiau Plas yr Ynys.

"Cadwaladr Roberts?"

Roedd ei lais yn crynu.

"Paid! Paid â bod mor wirion! Mae 'na fwled ynddo fo. . . mi gei di bres. . . lot o bres. . ."

Aeth chwys oer i lawr asgwrn cefn Tecwyn. Cymwynas fyddai saethu hwn.

". . . mi gei di unrhyw beth, unrhyw beth wyt ti isho. . . UNRHYW BETH!"

Roedd sŵn y cerbydau wedi peidio, a chlywid curo trwm, cyson ar y drws ffrynt.

"Unrhyw beth?"

"Unrhyw beth! Enwa fo. . . mi cei di o. . ."

Roedd o'n siarad yn gyflym. Roedd o'n gweld bwlch yn y clawdd. . . gweld ffordd i ddianc.

"Mi gei di. . ."

Llithrodd ei law i'w boced a gwelodd Tecwyn ei ddwrn a charn gloyw yn dod i'r golwg.

A dyna pryd y saethodd Tecwyn o. Yn sgwâr yn ei dalcen. Mi chwalodd y fwled ei benglog yn yfflon. Agorodd ei lygaid fel soseri a disgynnodd ar wastad ei gefn. Roedd Cadwaladr Roberts yn farw cyn iddo daro'r carped.

Eiliadau'n ddiweddarach, hyrddiodd Cooper ei hun i'r stafell.

"Gollwng o!"

Roedd pistol otomatig y plisman yn pwyntio'n syth ato.

"*Freeze!*" gwaeddodd drachefn.

Roedd Sami wedi dod drwy'r drws ac roedd ei wn yntau'n bygwth. Rhoddodd Tecwyn y pistol i lawr ar y bwrdd.

"Bu ond y dim i ti fod yn dyst i lofruddiaeth, Cooper," meddai'n ddidaro.

"Mi fûm i'n dyst i lofruddiaeth, Eleias."

Chwarddodd Tecwyn.

"Os edrychi di dan ei gorff o, mae gynno fo bistol. Rhywbath tebyg i Walther PPK. Amddiffyn fy hun oeddwn i."

Amneidiodd Cooper ar Sami.

"Dos i edrych."

Camodd Sami at y corff. Wedi archwilio dan gorff Cadwaladr Roberts, cododd ar ei draed. Troes at Cooper.

"Os ydych chi'n dymuno i bistol fod yna, syr, mae

yna un."

Am un eiliad aeth chwys oer i lawr cefn Tecwyn. Roedd hi'n amlwg beth oedd Sami'n cynnig ei wneud, ac roedd hi'n amlwg hefyd fod y dewis gan Cooper.

"Fentrwn ni faeddu'n dwylo, Sami?" gofynnodd.

Doedd Tecwyn ddim yn siŵr iawn beth oedd ym meddwl Cooper.

"Cadwaladr Roberts laddodd Lara," meddai Tecwyn.

"Dwi'n gwybod hynny," atebodd Cooper. "Petai'r plodars yna yng Nghaerdydd wedi mynd trwy restr gwesteion y Saunders yn ddigon trylwyr, mi fasan nhw wedi gweld ei enw fo arni."

Cerddodd Sami tuag ato. Roedd ei wn yn dal yn ei law.

"Be 'dan ni am wneud, syr? Ydan ni'n dymuno ffendio pistol gan Cadwaladr Roberts? Neu, os ydi o'n well gynnoch chi, fe allai Mr Eleias gael niwed wrth drio dianc?"

"Dyro dy wn heibio, Sami bach. I be awn ni i faeddu'n dwylo?"

"Ond. . ."

"Sami!"

Roedd yr edrychiad yn ddigon. Ufuddhaodd Sami.

"Nid fod gen i rithyn o gydymdeimlad â thi, Tecs; wedi'r cwbl, tydi dy drwbwl di ond yn dechrau, mêt."

"Dwi ddim wedi llofruddio neb, Cooper. Rhai o ddynion Cadwaladr laddodd Mo. . ."

"Dwyt ti ddim wedi llofruddio neb yng ngolwg y gyfraith, naddo, ond cofia di ei bod hi'n weddol hysbys mai Cadwaladr Roberts oedd un o brif ddynion y

Meibion. Ar ben hynny, mae yna fusnes gwerth miliynau wedi'i golli yn yr Almaen, Iwerddon a Chymru am nad ydi Roberts yn dal yn fyw. Fel y dywedais i, Tecs, i be wna i faeddu 'nwylo? Mae 'na rywun arall yn siŵr o dy gael di, a hynny'n fuan, was."

*   *   *

Doedd Tecwyn ddim eisiau cwmpeini. Aeth i gerdded a ffendiodd ei hun ar lan y môr. Tywod gwlyb, eang, tywyll. Awyr ddu, eang, dywyll. Môr du, eang, tywyll, a sŵn tonnau bychain gwynion yn mynd a dod rownd ei draed. Ond fedrai o ddim cael y darlun o Lara o'i feddwl. Roedd o'n ail-fyw pob eiliad o'r noson honno. Y gwallt melyn, modrwyog ar y gobennydd glas. Caeodd ei lygaid yn dynn. Roedd sŵn tonnau'r môr yn llenwi'i glustiau a Lara'n llenwi'i feddyliau. Roedd o unwaith eto'n anwesu ei harlais ac yn sibrwd yn ei chlust.

"Lara. . . Lara!"

Doedd hi'n dweud dim. Dim ond syllu i fyw ei lygaid. Ei llygaid oedd yn siarad â fo. Pob symudiad bychan yn feichiog o deimlad, pob crychiad yn herio ymateb. O Dduw! Pwy oedd hon a yrrwyd i'w boenydio? Roedd o'n ei gwasgu'n dynn, hithau'n gafael yn ei wyneb yntau ac yn mynnu syllu i'w lygaid. Roedd y môr yn llenwi'i glustiau ac yn golchi'i draed, ond doedd dim ots ganddo. Roedd Lara'n fyw y foment honno.

Arhosodd ac eistedd. Eistedd ar y tywod gwlyb a meddwl am Lara. Hi enillodd heno. Rhoddodd ei ben yn ei ddwylo ac wylodd. Wylo am ddoe. Wylo am Lara. Am funud, fedrai Tecwyn Eleias ddim dianc rhag ddoe. Fedrai o ddim dianc rhag Lara.

Am restr gyflawn o'n nofelau cyfoes a'n cyhoeddiadau eraill, mynnwch gopi o'n Catalog newydd sbon. Mae'n 48 tudalen, yn llawn lliw, ac—yn bwysicach—yn rhad ac am ddim!

Talybont
Ceredigion
Cymru
SY24 5HE
ffôn (01970) 832 304, *ffacs* 832 782